*Cet ouvrage a été publié sous le titre original:*

INFINITE POWER FOR RICHER LIVING

Original English Language Edition published by:
Parker Publishing Company, Inc.
Copyright ©, 1969 by Parker Publishing Company, Inc.

*Copyright ©, 1981 par:*
Les Éditions «Un Monde Différent» Ltée
Pour l'édition en langue française
Dépôts légaux 2e trimestre 1981
Bibliothèque nationale du Québec
Bibliothèque nationale du Canada

*Conception graphique de la couverture:*
PHILIPPE BOUVRY

*Traduit de l'anglais par:*
CLAUDETTE SPOONER GUAY

ISBN: 2-9200-0094-2

# UNE PUISSANCE INFINIE
# POUR UNE VIE ENRICHIE

# DANS LA MÊME COLLECTION

*Disponibles chez votre libraire ou à la maison d'édition.*

*Si vous désirez recevoir le catalogue de nos parutions,*
*il vous suffit d'écrire à la maison d'édition*
*mentionnant vos nom et adresse.*

# Dr. Joseph Murphy

# Une puissance infinie pour une vie enrichie

Les Éditions «Un Monde Différent» Ltée
1875 Panama, Local B
Brossard, Québec, Canada
J4W 2S8

# Table des matières

# 1

# Comment la puissance infinie peut vous donner une vie exaltante, riche et nouvelle

Ce livre est conçu pour vous éclairer sur la *Puissance infinie* en vous qui peut vous élever du milieu de la maladie, de la mélancolie, de l'échec et de la frustration et vous mettre sur le chemin de la santé, du bonheur, de l'abondance et de la sécurité. J'ai vu de miraculeuses transformations se produire chez des hommes et des femmes de toutes les conditions sociales du monde entier lorsqu'ils commencèrent à toucher et à libérer cette *Puissance infinie* en eux.

Il y a plusieurs mois, j'ai passé deux heures dans un hôpital à parler avec un alcoolique qui était dans les profondeurs du désespoir. Il commença à utiliser cette *Puissance* et comme résultat, il est maintenant fort, énergique et heureux et il opère une entreprise prospère. Comme Paul dans la Bible, il fut changé en *un clin d'oeil* et la *Puissance curative infinie* commença à circuler en lui. Ses problèmes se sont évanouis, la paix est venue dans son esprit troublé et il est retourné avec sa femme et ses enfants. Cette *Puissance infinie* qui est en vous attend positivement, définitivement et absolument d'être libérée. Cette *Puissance* est capable de transformer votre vie si complètement, si radicalement et si merveilleusement qu'après quelques courtes semaines ou mois, il est possible que vos amis intimes puissent ne pas vous reconnaître.

Dans ce livre, vous lirez l'histoire d'un criminel qui avait tué plusieurs personnes et qui est maintenant un homme à la ressemblance de Dieu aidant les autres à vivre leur vie glorieusement et paisiblement. Cet homme me dit: «Un mois après avoir commencé à toucher cette *Puissance infinie* dont vous m'aviez parlé, je me suis regardé dans le miroir et soudainement, j'ai réalisé que je n'étais plus le même homme. Je ne peux pas répéter aucun de mes crimes antécédents.» Puis il ajouta: «Je commence à me demander si j'ai jamais été ce meurtrier.» Cet homme avait découvert la *Puissance infinie* en lui, celle qui ouvre même les portes de la prison et qui l'a libéré. La *Puissance curative infinie* restaura son âme. La Bible dit: *Il refait mon âme* (Psaume 23;3).

Cette *Puissance infinie* mystérieuse peut produire des miracles pour vous aussi. En lisant attentivement ceci et les chapitres suivants, vous réaliserez que vous pouvez diriger le cours de cette *Puissance* pour recevoir de nouvelles idées valant une fortune. Tout ce qu'il vous faut, c'est un esprit ouvert et un désir de mener une vie remplie, heureuse, exaltante et abondante.

## COMMENT CETTE PUISSANCE INFINIE PEUT ACCOMPLIR DES MERVEILLES DANS VOTRE VIE

Pourquoi certaines personnes sont-elles heureuses, remplies de succès et prospères tandis que d'autres sont pauvres et misérables? Pourquoi certaines personnes sont-elles remplies de foi et de confiance et vivent-elles dans l'attente joyeuse du meilleur, acquérant des richesses, s'élevant constamment dans l'échelle du succès tandis que d'autres sont craintives, inquiètes, déprimées et sont devenues des échecs tragiques dans la vie? Pourquoi un homme vit-il dans un magnifique domaine alors que son frère passe sa vie dans une maison délabrée, incapable de joindre les deux bouts?

La raison de cette différence est que ceux qui mènent une vie exaltante, aventureuse, créatrice et remplie de succès *ont utilisé la Puissance infinie qui fait la différence.* Car c'est l'utilisation de cette *Puissance mystique* qui vous apporte toute la vitalité, la prospérité, la joie et les richesses dont vous avez besoin.

## COMMENT VOUS POUVEZ UTILISER CETTE PUISSANCE EXTRAORDINAIRE

À travers les âges, les hommes et les femmes ont découvert une *Puissance infinie* qui leur révéla leurs talents cachés. Ils reçurent l'inspiration du Très-Haut et ils reçurent aussi la connaissance merveilleuse et glorieuse originale de la *Mine infinie* en eux. Cette *Puissance* peut vous fournir la sagesse, la puissance et les énergies nécessaires pour atteindre les buts que vous avez choisis. Ce livre vous enseigne comment diriger cette *Puissance* pour votre amélioration et votre bien-être. Tout ce que vous avez à faire est de coopérer et de vous aligner avec *Elle.*

Vous pouvez utiliser cette *Puissance infinie* pour attirer le bon partenaire en affaires, pour trouver les bons amis; elle peut vous procurer la maison idéale. Vous pouvez prospérer au-delà de vos rêves les plus chers et vous pouvez découvrir la joie et la liberté d'être, d'action et de voyager autant que vous le désirez.

## POURQUOI J'AI ÉCRIT CE LIVRE

La raison pour laquelle j'ai écrit ce livre, c'est de rendre cette *Puissance fondamentale*, qui est la Puissance de Dieu, et sa compréhension disponibles à tous les hommes et femmes. Dieu vous a donné à la naissance le droit de toucher et d'utiliser cette puissance et de lui permettre de circuler à travers votre esprit, votre corps, votre entreprise et dans toutes vos affaires afin que vous puissiez vous élever triomphalement dans le champ mental du pouvoir, de la joie et d'une vie plus prospère.

**Ce que cette merveilleuse puissance agissante
a fait pour les autres**

Ce livre vous montre comment les hommes et les femmes de tous les métiers ont obtenu une *miraculeuse Guérison* pour des conditions dites incurables, des solutions à des problèmes d'affaires aigus, l'harmonie dans les relations familiales, des méthodes pour éviter des tragédies et l'utilisation de la clairaudience pour sauver la vie d'un homme. Ces personnes ont découvert comment la préconnaissance amena une fortune pour un homme, comment la tranquillité et la sérénité envahirent un esprit tourmenté, comment attirer le partenaire de vie idéal, comment une image mentale attira un million de dollars et comment changer l'échec en succès.

**Ce livre a de grands buts uniques et extraordinaires**

Vous y trouverez toutes les méthodes nécessaires pour utiliser la *Puissance infinie* en vous dans des techniques et des formules simples et utilisables que vous pourrez déjà appliquer dans votre univers quotidien. Il ne répond pas seulement aux questions mais il propose des solutions aux problèmes personnels tels que: Comment gagner la confiance et l'équilibre, comment prier pour le succès en affaires ou dans une profession, comment utiliser la perception extrasensorielle pour se bénir soi-même et bénir les autres, comment recevoir la *Direction divine*, quand prier pour une personne malade, comment coopérer avec le médecin et comment prier efficacement. Ce livre dit pourquoi j'ai prié sans apparemment recevoir de réponse, et comment prier pour la *Direction divine* et savoir la reconnaître. Tout ce qui est nécessaire pour votre utilisation immédiate des puissances énormes de l'Infini est ici rendu parfaitement clair et réalisable.

**Comment vous pouvez commencer à vivre une nouvelle vie comblée**

Chacun désire la santé, le bonheur, la sécurité, la paix de l'esprit, l'accomplissement véritable, mais plusieurs disent dans leur coeur: «C'est trop beau pour être vrai!» Cependant, rien n'est trop beau pour être vrai, rien n'est trop merveilleux pour durer car la *Puissance*, la *Sagesse* et la *Gloire de Dieu* sont les mêmes hier, aujourd'hui et à jamais et sont disponibles instantanément à tous. Il est de votre pouvoir de transformer votre vie entière. La simplicité de tout cela est surprenante et saisissante.

Vous lirez dans ce livre comment un homme de cinquante ans changea une vie entière d'échec en un succès. *Vous* pouvez faire la même chose. Vous lirez comment une femme de quarante ans découvrit la clé à la popularité instantanée et au mariage. Laissez l'amour opérer des miracles pour *vous* aussi.

## COMMENT UN GARÇON D'HÔTEL DÉCOUVRIT LA CLÉ À UNE PROMOTION INSTANTANÉE

Pendant mes voyages, j'ai parlé à Ottawa, Canada. Après le discours, un jeune homme causa avec moi et me raconta qu'il avait été garçon à New York pendant deux ans et qu'un client de l'hôtel lui avait donné le livre de poche intitulé *The Power of Your Subconscious Mind* (La puissance de votre subconscient). Il le lut quatre fois et, suivant ses directives, il commença à répéter chaque soir avant de s'endormir: «La promotion est mienne maintenant. Le succès m'appartient maintenant. La richesse est mienne maintenant.», et au bout d'environ deux semaines, il fut soudainement promu assistant-gérant et six mois plus tard, gérant général d'une chaîne d'hôtels. Il savait que la puissance circulant à travers lui venait de Dieu. «Pensez seulement, disait-il, que pendant plusieurs années de ma vie, je vivais simplement avec un filet de mon potentiel énorme.» Cet homme a appris à libérer la *Puissance infinie* en lui et sa vie entière fut harmonisée par cette prodigieuse puissance agissante.

## COMMENT UNE ÉTUDIANTE D'UNIVERSITÉ CHANGEA L'ÉCHEC EN UN SUCCÈS INSTANTANÉ

Il y a quelques années, une jeune étudiante vint me voir à la demande de son père. Elle échouait à l'université. Je parlai avec elle et je trouvai qu'elle avait une bonne intelligence et une solide base de connaissance de la loi de l'esprit. Je lui demandai: «Pourquoi t'apitoies-tu sur toi-même? Pourquoi as-tu une si basse estime de toi?» Elle rougit considérablement et dit: «Oh, je suis l'idiote de la famille. Mon père dit que je n'arriverai jamais à grand-chose, que mes frères sont brillants, qu'ils tiennent cela de lui et que je suis nigaude comme ma mère.» «Bien, ai-je répondu, tu es une enfant de Dieu. Toutes les *Puissances infinies*, les *Qualités* et la *Sagesse* de Dieu sont en toi, attendant d'être libérées et utilisées. Dis à ton père de ma part qu'il ne devrait jamais faire de si terribles affirmations négatives à sa fille, mais qu'il devrait plutôt l'encourager et se souvenir que l'*Intelligence infinie* de Dieu est en toi et que lorsque tu l'*appelles*, *Elle* te répond. Dis-lui aussi qu'il y a probablement plus de ses tendances génétiques en toi que de celles de ta mère.»

Je lui donnai la technique suivante à utiliser chaque matin avant d'aller en classe et chaque soir avant de s'endormir: «Je suis une enfant de Dieu. Je ne sous-estimerai jamais mes puissances intérieures ni ne me diminuerai moi-même en aucune façon. J'exalte Dieu en moi. Je sais que Dieu m'aime et prend soin de moi. Il est écrit: *Il a soin de vous* (I Pierre 5;7). Tout ce que je lis et étudie est tout de suite absorbé dans mon esprit et m'est instantanément retourné lorsque j'en ai besoin. J'irradie l'amour envers mon père, mes frères, mes professeurs et envers ma mère dans la seconde dimension où je sais qu'elle est heureuse et libre. L'*Intelligence infinie* guide mes études et me révèle tout ce dont j'ai besoin de savoir en tout temps. Je m'apprécie et j'ai une nouvelle estime de moi-même car je sais que mon vrai moi est Dieu. Lorsque je serai portée à me critiquer ou à me condamner, j'affirmerai immédiatement: *Dieu m'aime et prend soin de moi. Je suis sa fille.*»

Elle mit fidèlement en pratique ce processus de prière et je suis heureux de vous rapporter qu'elle eut très tôt de meilleures notes et que depuis, elle a gradué de l'université *magna cum laude*. Elle découvrit *l'Intelligence infinie* d'une vie parfaite et commença à la libérer. Elle cessa d'accepter les suggestions négatives de son père et commença à exalter Dieu en elle. Paul dit: *Que chacun se soumette aux autorités en charge* (Romains 13;1). Dieu est la seule *Présence* et la seule *Puissance* et les pouvoirs sont conférés par Dieu.

## COMMENT VOUS POUVEZ UTILISER LA PUISSANCE INFINIE POUR RÉALISER VOS RÊVES

Si vous mettez en pratique les principes de la *Puissance infinie* pour avoir une vie parfaite telle que démontrée et révélée dans les pages suivantes, vous verrez des changements merveilleux et fantastiques s'opérer dans votre vie. Vos rêves, vos aspirations, vos idées et vos buts dans la vie sont des pensées, des idées et des images mentales dans votre esprit. Vous devez réaliser que l'idée ou le désir dans votre esprit est aussi réel que votre main ou que votre coeur. Il a une forme, un aspect et une substance dans une autre dimension de l'esprit. Chaque chapitre de ce livre vous montrera comment accepter votre désir, le réaliser dans l'*Ordre divin*. La *Puissance infinie* qui vous donne le désir vous révèle aussi le plan parfait pour son accomplissement. Tout ce que vous avez à faire est de l'accepter et de le croire et l'*Intelligence infinie* en vous le réalisera.

## COMMENT VOTRE VIE PEUT DEVENIR UNE AVENTURE EXCITANTE

La puissance miraculeuse de l'*Infini* existait avant vous et avant que toute Église ou même le monde lui-même n'existent. Les grandes vérités éternelles ou les principes de la vie qui vous bénissent, vous inspirent et vous élèvent, précèdent toutes les religions. Vous et moi sommes des esprits, prêts à partir en voyage dans les recoins intérieurs de notre propre esprit où nous observerons comment il fonctionne et connaîtrons cette puissance merveilleuse, magique, curative et transformatrice qui essuie toutes larmes. Nous verrons comment elle referme les blessures des coeurs brisés, proclame la liberté à ceux qui ont peur, à l'esprit malade et vous libère complètement des chaînes que vous vous imposez: celles de la pauvreté, de l'échec, de la maladie, de la frustration et des limitations de toutes sortes.

Tout ce que vous avez besoin de faire est de suivre les méthodes scientifiques simples décrites dans les chapitres suivants puis de vous unir mentalement et émotionnellement au bien que vous désirez connaître et la *Puissance infinie* vous mènera à l'accomplissement du désir de votre coeur.

Ce voyage mental et spirituel dans lequel vous vous embarquez sera le plus merveilleux *chapitre* de votre vie, une expérience curative et révélatrice. Elle sera excitante, joyeuse et la plus rémunératrice de votre vie. Commencez maintenant, aujourd'hui. Laissez les merveilles et les miracles se produire dans votre vie! Persistez jusqu'à ce que le jour se lève et que toutes les ombres disparaissent.

# 2

# Comment établir un modèle de succès pour une vie plus prospère

Vous êtes né pour gagner et triompher de tous les obstacles de la vie. Dieu habite en vous, *il* marche et parle en vous. Dieu est le *Principe de Vie* en vous. Vous êtes un canal de la *Divinité* et vous êtes ici pour reproduire les qualités, les attributs, les forces et les aspects de Dieu sur l'écran de l'espace. Voilà à quel point vous êtes important et merveilleux!

Tout ce que Dieu commence, *il* le finit, que ce soit une étoile, un cosmos ou un arbre. Afin de gagner et de triompher dans le jeu de la vie, joignez-vous à la *Puissance cosmique* en vous et en vous alignant en pensée et en sentiment à cette *Puissance infinie*, vous trouverez la *Puissance cosmique* avançant à votre place et vous rendant capable de gagner la victoire et d'avoir une vie triomphante.

## COMMENT UNE NOUVELLE IMAGE MENTALE DE LUI-MÊME LUI APPORTA DE RICHES DIVIDENDES

«Je travaille à la même firme depuis dix ans et je n'ai pas reçu de promotion ni d'augmentation de salaire. Il doit y avoir quelque chose qui ne va pas chez moi.», me disait un homme, que nous appellerons Jean, se plaignant amèrement lors de sa première consultation avec moi. En parlant avec lui, je découvris qu'il avait un modèle inconscient d'échec guidant ses affaires.

Jean avait l'habitude de se diminuer constamment, se disant à lui-même: «Je ne suis bon à rien, on m'oublie toujours, je suis en train de perdre mon travail, il y a un oiseau de malheur qui me suit.» Il se condamnait et se critiquait lui-même. Je lui ai expliqué que ces deux états d'esprit étaient les poisons mentaux les plus destructifs qu'il pût engendrer et qu'ils lui voleraient sa vitalité, son enthousiasme, son énergie et son bon jugement, le laissant finalement physiquement et mentalement ruiné. De plus, j'ai poussé plus loin sur ses affirmations négatives en soulignant que des affirmations telles que *Je ne suis bon à rien, on m'oublie toujours*, étaient des ordres à son subconscient qui les prenait littéralement, formant de l'obstruction, des délais, des manques, de la limitation et des entraves de toutes sortes dans sa vie. Le subconscient est comme la terre qui prend toutes sortes de graines, bonnes ou mauvaises, et les nourrit pour qu'elles se développent.

**Comment Jean a découvert en lui
la cause de son échec**

Il me demanda: «Est-ce la raison pour laquelle on m'oublie et ce pourquoi je suis ignoré à nos conférences d'affaires régulières?» Ma réponse fut «Oui», parce qu'il s'était formé une image mentale de rejet et s'attendait à être mis de côté et ignoré. Il bloquait véritablement son propre bien. Jean prouva cette vérité biblique. *Toutes mes craintes se réalisent et ce que je redoute m'arrive* (Job 3;25).

**Comment il pratiqua une technique réaliste
pour obtenir le succès**

Voici comment Jean se sortit des modèles d'auto-rejet, d'échec et de frustration. Je lui suggérai qu'il médite cette grande vérité: ... *Je dis seulement ceci: oubliant le chemin parcouru, je vais droit de l'avant, tendu de tout mon être, et en vue du prix que Dieu nous appelle à recevoir là-haut, dans le Christ Jésus* (Phil 3;13-14).

Il demanda: «Comment puis-je oublier les affronts, les préjudices et les déboires? C'est passablement difficile.» C'est faisable mais, comme je le lui expliquai, il devait prendre la décision bien arrêtée de laisser tomber le passé et de contempler, avec une détermination positive, le succès, la victoire, la réussite et la promotion. Votre subconscient sait que vous pensez vraiment ce que vous dites et vous le rappellera automatiquement lorsque, par habitude, vous serez enclin à vous diminuer; et alors, vous renverserez immédiatement la pensée et affirmerez le bien ici et maintenant.

Il commença à s'apercevoir de la fausseté et de la stupidité de porter une charge mentale de désappointement et d'échecs du passé vers l'avenir. C'est comme porter une lourde barre de fer sur vos épaules toute la journée, amenant ainsi l'épuisement et la fatigue. Lorsqu'une pensée d'autocritique ou d'autocondamnation venait à son esprit, il la renversait fidèlement en affirmant: «Le succès est mien, l'harmonie est mienne et la promotion est mienne.» Après un bout de temps, le modèle négatif fut remplacé par une habitude de penser constructive.

### Comment Jean arriva à contrôler son subconscient pour obtenir le succès

Je lui donnai la technique simple qui suit pour en imprégner son subconscient. Jean devait commencer à pratiquer l'art d'imaginer sa femme qui le félicitait de sa promotion en l'étreignant avec bonheur et enthousiasme. Il rendit cette image mentale très vivante et réelle en immobilisant son attention, relaxant son corps et centrant les lentilles de son esprit sur son épouse. Il conversait mentalement avec elle comme suit: «Chérie, j'ai reçu une promotion fantastique aujourd'hui, le patron m'a félicité et je recevrai $5 000 de plus par année en salaire! N'est-ce pas merveilleux?» Puis il imaginait sa réponse et entendait le ton de sa voix, voyait son sourire et ses gestes. Tout était réel dans son esprit. Graduellement, ce film mental passa, par une sorte de pression osmotique, de son conscient à son subconscient. Il y a quelques jours, Jean vint me voir et dit: «Je devais vous le dire. Ils m'ont donné le poste de gérant régional! Ce film mental a fait effet.»

Ayant appris comment son esprit travaillait, Jean commença à réaliser que son modèle habituel de penser et son film mental pénétraient les couches de son subconscient et que ce dernier était activé pour attirer tout ce dont il avait besoin pour atteindre la réalisation de ses désirs les plus chers.

**La puissance agissante de la foi**

La Bible dit: *Tout ce que vous demandez en priant, croyez que vous l'avez déjà reçu, et cela vous sera accordé* (Marc 11;24). Ceci est un langage simple vous révélant que lorsque vous croyez et vivez dans une joyeuse attente du meilleur, vous recevrez le bien que vous recherchez. Jean croyait fermement qu'il recevrait l'honneur, la reconnaissance, la promotion et une augmentation de salaire. Tout fut selon sa foi.

Jean est aujourd'hui un homme nouveau et il est heureux. Il est gai et débordant d'enthousiasme. Il y a une lumière dans son regard et un nouveau ton émotif dans sa voix qui indiquent la confiance en soi et l'équilibre.

## COMMENT UNE IMAGE MENTALE PRODUISIT UN MILLION DE DOLLARS

J'ai eu une conversation à l'hôtel Palm Springs Spa avec un homme de San Pedro qui me dit qu'à l'âge de quarante ans, sa vie était remplie de désappointements, d'échecs, de dépression et de désillusions. Il avait assisté à une conférence sur *Le miracle de l'esprit*, donnée à San Pedro par le défunt docteur Harry Gaze, voyageur et conférencier mondial.

Il dit qu'après avoir entendu cette conférence, il commença à croire en lui-même et en ses puissances intérieures. Il avait toujours voulu posséder et diriger un cinéma, mais il avait échoué systématiquement en tout et il n'avait pas d'argent. Il commença avec cette affirmation: «Je sais que je peux réussir, et je posséderai et dirigerai un théâtre.»

Il me dit qu'aujourd'hui sa fortune est évaluée à $5 millions et qu'il possède deux théâtres. Il a réussi même si les chances étaient contre lui. Son subconscient savait qu'il était sincère et qu'il pensait vraiment réussir. Il connaît votre motivation intérieure et votre réelle conviction. La Bible dit: *Toutes les entreprises réussiront...* (Job 22;28).

La formule magique de cet homme pour réussir était l'image mentale qu'il portait et à laquelle il demeurait fidèlement attaché, et son subconscient lui révéla tout ce qui lui était nécessaire pour la réalisation de son rêve.

## COMMENT UNE ACTRICE TRIOMPHA DE L'ÉCHEC

Une jeune actrice vint me voir, se plaignant amèrement du trac et de la panique pendant ses auditions et ses bouts d'essai à l'écran. Elle avait raté, disait-elle, trois fois ses auditions, prolongeant ses plaintes tristes en une longue jérémiade.

Je découvris rapidement que son problème réel était qu'elle avait une image mentale de panique devant la caméra et comme Job du vieil adage, elle se condamnait elle-même à l'échec: ... *ce que je redoute m'arrive* (Job 3;25).

## Comment elle gagna la confiance et l'équilibre

J'enseignai à cette jeune actrice les fonctionnements de son conscient et de son subconscient et elle commença à réaliser qu'en prêtant attention à des pensées constructives, elle apporterait automatiquement dans son existence les bénéfices accrus des pensées qui l'habitaient. Elle conçut son propre plan pour une méthode de penser en droite ligne, sachant qu'il y a une loi de l'esprit qui répond à ce que vous-même vous décrétez, pourvu, bien sûr, que vous croyiez que ce que vous affirmez est vrai selon vous. Par exemple, plus vous affirmez fréquemment pour vous-même: «J'ai peur», plus vous engendrez la peur. D'un autre côté, plus vous affirmez: «Je suis rempli de foi et de confiance», plus vous développez de confiance et d'assurance.

Je suggérai qu'elle dactylographie des pensées d'inspiration sur une carte de fichier, comme suit:

*Je suis remplie de paix, de pondération, de balance et d'équilibre.*
*Je ne crains aucun mal car Dieu est avec moi.*
*Je suis toujours sereine, calme, détendue et à l'aise.*
*Je suis remplie de foi et de confiance dans la seule puissance qui existe: Dieu.*
*Je suis née pour vaincre, réussir et triompher.*
*Je suis remplie de succès dans toutes mes entreprises.*
*Je suis une merveilleuse actrice et je suis immensément comblée de succès.*

*Je suis aimante, harmonieuse, paisible et je sens mon unité avec Dieu.*

Elle porta cette carte sur elle, en train, en avion et souvent, pendant la journée, elle concentrait son esprit sur ces vérités. Véritablement, elle les mémorisa après trois ou quatre jours. À mesure qu'elle réitérait ces vérités, celles-ci s'enfoncèrent dans son subconscient et elle découvrit que ces affirmations contenaient de merveilleuses vibrations spirituelles qui neutralisaient les pernicieux modèles de peur, de doute et d'incompétence dans son subconscient. Elle devint pondérée, sereine, calme et remplie de confiance en elle-même. Elle avait découvert la *Puissance cosmique* pour une vie parfaite.

## Comment son film mental accomplit un miracle

Elle pratiqua la technique suivante pendant environ cinq ou six minutes le matin, l'après-midi et le soir: elle détendait son corps, s'asseyait tranquillement dans une chaise et commençait à imaginer qu'elle était devant la caméra - pondérée, sereine, calme et détendue. Elle se visualisait couronnée de succès et s'imaginait entendre des commentaires de louanges par l'auteur et par son agent. Elle interprétait le rôle comme seulement une bonne actrice peut le faire et le rendait très réel et vivant. Elle réalisa que la *Puissance cosmique* qui fait bouger le monde agissait aussi dans l'image mentale de son esprit, le contraignant à donner de merveilleuses interprétations.

Quelques semaines plus tard, son agent lui fit faire un autre bout d'essai, et elle était si enthousiaste et gaie à l'idée de triompher qu'elle donna une merveilleuse performance. Aujourd'hui, les succès s'enchaînent et elle est en voie de devenir une grande vedette.

## VOUS ÊTES RICHE ET REMPLI DE SUCCÈS À CAUSE DE CE QUE VOUS ÊTES À L'INTÉRIEUR

J'eus une intéressante conversation avec un homme à l'auberge Kona, sur l'île d'Hawaï. Il me raconta une histoire fascinante de sa jeunesse. Il était né à Londres, en Angleterre et lorsqu'il était très jeune, sa mère lui dit qu'il était né dans la pauvreté mais que son cousin était né dans l'opulence et dans une grande fortune, parce que c'est la façon dont Dieu équilibre les choses. Il dit que, plus tard, il découvrit ce qu'elle voulait dire était que dans une vie précédente, il avait été très riche et que, maintenant, Dieu prenait sa revanche avec lui en le retournant sur terre dans la pauvreté pour rétablir la justice.

«Je considérais ceci», dit-il, «comme de la parfaite baliverne; de plus, je réalisai que la *Loi cosmique* ne fait acception de personne, que Dieu donne à tous *selon leur foi*, et qu'un homme pouvait être multimillionnaire, possédant des millions de livres sterling et être très illuminé et spirituel en même temps. Certaines personnes financièrement pauvres, d'un autre côté, étaient des plus malveillantes, égoïstes, envieuses et avides.»

Durant sa jeunesse, cet homme avait vendu des journaux à Londres et avait lavé des carreaux; il était allé à l'école le soir et avait fait son chemin jusqu'à l'université; il est maintenant un des plus éminents chirurgiens d'Angleterre. Sa devise est la suivante: «Vous allez où vous regardez.» Ses vues étaient de devenir chirurgien et son subconscient répondit selon l'image mentale maintenue dans son conscient.

Le père de son cousin avait été multimillionnaire et il avait donné à son fils tout ce qui était possible; des professeurs privés, des voyages éducatifs spéciaux en Europe et il l'avait envoyé à l'Université d'Oxford pendant cinq ans. Il avait fourni des serviteurs, des automobiles et avait payé toutes ses dépenses. Le cousin était devenu un raté! Il avait été sur-protégé et il n'avait pas de confiance en soi ni d'indé-pendance. Il n'avait pas de motivation, pas d'obstacles à sur-monter, ni d'entraves à surpasser. Il devint alcoolique et un échec complet dans l'art de vivre.

*Lequel était riche et lequel était pauvre?* Le chirurgien sur-monta ses handicaps. Il me dit qu'il était reconnaissant d'avoir fait son chemin de la façon difficile. «La justice est dans l'esprit, et *si un homme accepte de vivre pour un denier par jour, c'est tout ce qu'il recevra.*» Cet homme découvrit que les richesses, le succès, la réussite et la prospérité sont tous dans l'esprit, car tel un homme sème dans son subcon-scient, de la même façon, il récoltera.

## POURQUOI VOUS AVEZ CONSTAMMENT LA CHANCE DE VOTRE VIE AVEC VOUS

Récemment, un homme me dit: «Je n'ai pas eu de chance dans la vie. Je suis né dans une famille pauvre et nous n'avons jamais eu assez à manger. J'ai vu d'autres garçons à l'école dont les pères avaient de belles maisons, des piscines privées, des automobiles et tout l'argent dont ils avaient besoin. La vie est injuste!»

Je lui expliquai que souvent, la rigueur de la pauvreté peut être le stimulant qui vous pousse au plus haut sommet du succès. Une très belle maison, une piscine, des richesses, du prestige, du succès, un carosse doré, une Rolls Royce sont toutes des idées dans l'esprit de l'homme, qui ne font qu'une avec l'*Esprit infini* de Dieu.

### Le secret d'Helen Keller pour le bien dans sa vie

J'expliquai à cet homme que la méthode de penser de plusieurs personnes est entièrement illogique, irrationnelle et peu scientifique. Par exemple, on dit que la naissance d'Helen Keller fut une injustice puisqu'elle était dépourvue de ses sens de la vue et de l'ouïe depuis l'enfance. Mais elle commença à utiliser les richesses de l'esprit et ses yeux bleus s'efforcèrent de *voir*, probablement mieux que la majorité des gens, la couleur de toute la magnificence de l'opéra; ses oreilles sourdes pouvaient de la même façon *entendre* les crescendos, les diminuendos et le plain volume de l'orchestre. Elle était parfaitement consciente des notes claires du soprano lyrique et elle pouvait saisir l'humour de la pièce de théâtre.

Helen Keller accomplit énormément de bien dans le monde. Par la méditation et la prière, elle ouvrit l'oeil interne et éleva les esprits et les coeurs des sourds et des aveugles partout. Elle donna la foi, la confiance, la joie et un stimulant spirituel à des milliers de reclus et à d'autres personnes dans le monde. Elle accomplit certainement beaucoup plus que plusieurs personnes qui voient et entendent. Elle ne fut pas infortunée ou victime de discrimination de naissance. Il n'existe pas d'être sous privilégié ou surprivilégié.

## LA CLÉ MAGIQUE À TOURNER POUR LE SUCCÈS

L'homme était profondément ému par l'histoire d'Helen Keller et je lui écrivis le *Plan cosmique* du succès qu'il devait affirmer pendant quinze minutes, trois fois par jour: «Je suis à ma vraie place dans la vie, faisant ce que j'aime faire et je suis divinement heureux. J'ai une belle maison, une bonne et merveilleuse épouse et une nouvelle voiture de modèle récent.

Je donne mes talents au monde d'une merveilleuse façon et Dieu me révèle de meilleures façons par lesquelles je peux servir l'humanité. J'accepte définitivement et positivement le fait qu'une occasion nouvelle et merveilleuse s'ouvre à moi. Je sais que je suis divinement guidé dans toutes les voies vers la plus haute expression de moi-même. Je crois et j'accepte l'abondance et la sécurité. Je crois que de merveilleuses et très belles occasions s'offrent maintenant à moi. Je crois que je suis prospère au-delà de mes rêves les plus chers.»

Il avait dactylographié ces affirmations sur une carte qu'il portait tout le temps, répétant ces vérités régulièrement et systématiquement pendant quinze minutes, trois fois par jour. Lorsque la peur ou l'anxiété venait à son esprit, il tirait la carte et réitérait ces vérités, sachant que les pensées négatives sont toujours effacées et dissipées par des pensées constructives plus grandes.

**La puissance de la foi à l'action**

Il réalisa que les idées sont transmises au subconscient par la répétition, la foi, l'attente, et la puissance miraculeuse opérante de son subconscient allait travailler à partir des impressions qui y étaient déjà inscrites, puisque c'est de sa nature de répondre selon la pensée habituelle de l'homme.

Trois mois plus tard, toutes les choses qu'il méditait se réalisèrent. Il est maintenant marié et il a une belle maison ainsi qu'une entreprise que son épouse lui a achetée; il fait ce qu'il aime et il est divinement heureux. Il est devenu membre du conseil municipal et il donne ses services aux scouts d'Amérique et à d'autres organisations valeureuses. Il eut la chance de sa vie et vous aussi vous l'avez!

## COMMENT UN VENDEUR S'AIDA
## À OBTENIR UNE PROMOTION

Un vendeur en produits pharmaceutiques n'avait pas reçu de promotion depuis huit ans, bien que certains de ses confrères de travail apparemment moins qualifiés avaient été promus à des échelons plus hauts de l'entreprise. Son problème était qu'il avait un complexe de rejet.

Le conseil que je lui donnai fut d'être bon envers lui-même et de s'aimer davantage parce qu'en réalité le *Moi* est Dieu. Je lui expliquai qu'il était la maison où Dieu habite et qu'il devait avoir un respect sain, vénérable et total de la Divinité en lui qui l'a créé, qui lui a donné la vie et qui l'a doté de toutes les puissances de Dieu. Ceci le rendrait capable de surmonter tous les obstacles, de s'élever vers l'abondance et la parfaite expression de lui-même et d'acquérir la capacité de mener une vie pleine et heureuse.

Ce vendeur réalisa rapidement qu'il pouvait utiliser la même somme d'énergie mentale pour avoir des pensées constructives que pour avoir des pensées destructives. Il décida d'arrêter de penser aux raisons pour lesquelles il ne pouvait pas réussir et il commença à penser aux raisons pour lesquelles il pouvait réussir. Il se pratiqua en utilisant la formule mentale et spirituelle suivante:

*À partir de maintenant, je m'accorde une nouvelle valeur. Je suis conscient de ma vraie valeur. Je vais cesser de me rejeter et définitivement, je ne me diminuerai plus. Lorsque la pensée d'auto-critique me viendra, j'affirmerai immédiatement: «J'exalte Dieu en moi.» Je respecte et j'honore mon Moi qui est Dieu. Je maintiens un respect sain et intégral de la Puissance infinie en moi qui est Toute-Sagesse et Omniscience. C'est l'Éternel, la Présence et la*

*Puissance rénovatrice. Le jour et la nuit, je progresse, avançant et croissant spirituellement, mentalement et financièrement.*

Ce vendeur se réserva une période de temps trois fois par jour et s'identifia à ces vérités, saturant ainsi graduellement son esprit de pondération, de balance et d'équilibre, en plus d'un sens de ses vraies valeurs. Comme résultat, après une période d'environ trois mois, il devint gérant des ventes dans le Midwest. Dans une lettre récente, il disait: «Je suis sur la voie ascendante, grâce à vous.»

**La technique magique du miroir**

En plus de l'exercice mental et spirituel ci-dessus, dans le but de se rendre capable de percevoir le vrai sens de sa propre valeur et de son importance dans son plan de vie en tant qu'être humain doué de talents et d'aptitudes uniques et extraordinaires pas encore libérés mais endormis en lui, je recommandai qu'il pratique le traitement du miroir. Voici comment il mit en pratique cette technique dans ses propres mots:

«Chaque matin après le rasage, je me regardais dans le miroir et je me disais vigoureusement, avec sentiment et consciemment: *Tom, tu es absolument extraordinaire, tu as un énorme succès, tu es rempli de foi et de confiance et tu es immensément riche. Tu es aimant, harmonieux et inspiré.* Je ne fais qu'un avec Dieu, et un avec Dieu est une majorité. Je fais cet exercice chaque matin. Je suis surpris des nombreux et merveilleux changements qui se sont produits dans mon entreprise, mes finances, mon cercle d'amis et dans ma vie familiale. Voilà deux mois que vous m'avez donné ces deux techniques de prière et j'ai été promu au poste de gérant des ventes dans la région du Midwest.»

Ce vendeur s'identifia aux vérités qu'il affirmait et il se créa une nouvelle image de lui-même, saturant ainsi son esprit de pondération, de balance, d'équilibre, de prospérité et de confiance. Il crut implicitement à la réponse de son subconscient à l'activité de son conscient, découvrant alors la majestueuse vérité psychologique de la Bible: *Si tu peux!... tout est possible à celui qui croit* (Marc 9;23).

## COMMENT UN GÉRANT DE BUREAU SURMONTA DES DÉFAUTS DE PERSONNALITÉ

Pendant une entrevue, un gérant de bureau me dit que tous les hommes et toutes les femmes de son bureau sentaient qu'il était trop autoritaire, trop exigeant et trop pessimiste; il y avait une constante rotation dans son bureau et le gérant général s'était plaint du nombre de démissions.

Je lui expliquai que le fait d'exagérer l'autorité est habituellement un signe de manque de confiance en soi; la personne essaie de se sentir plus sûre d'elle. Une personne peut posséder un esprit calme et méthodique, ne jamais commander les autres de façon arrogante et cependant être entièrement sûre d'elle; les personnes bruyantes qui parlent trop fort manquent de sincérité et d'équilibre intérieur.

À ma demande, il commença à louanger certains des employés pour leur travail bien fait et il trouva qu'il recevait habituellement une réponse amicale en retour; en les complimentant, il bâtissait leur confiance en eux-mêmes. Il cessa sa constante critique et son attitude de toujours trouver à redire qui brisaient l'harmonie du bureau, et il cessa aussi de se déprécier lui-même intérieurement, ce qui était en réalité la cause de son problème.

**Une technique secrète pour une meilleure
personnalité vers le succès**

Dans le but d'effacer la tristesse, il commença à pratiquer
la respiration profonde conjointement avec une affirmation
spécifique. Pendant l'inhalation, il affirmait «Je suis» et pendant l'exhalation «d'humeur joyeuse». À travers la pratique,
il fut capable de retenir son souffle plus longtemps entre
l'inhalation et l'exhalation. Il pratiqua cette respiration profonde cinquante fois et cent fois jusqu'à ce qu'il ait une profonde réaction subconsciente. Maintenant, il dit qu'il a de
meilleurs résultats en pensant «Je suis d'humeur joyeuse»
pendant l'inhalation et en la répétant pendant l'exhalation. Il
a prouvé que la valeur et le sentiment de bien-être physique
qui suit routinièrement l'action des respirations profondes
favorisent aussi l'imprégnation d'idées constructives dans son
subconscient.

De plus, il pratiqua l'ordonnance mentale et spirituelle
suivante plusieurs fois par jour:

*À partir de maintenant, je cesse toute récrimination
envers moi-même. Je sais qu'il n'y a rien de parfait dans
cet univers et je réalise aussi que tous mes employés et
associés ne peuvent possiblement être parfaits en tout. Je
me réjouis de leur confiance, de leur foi, de leur coopéra-
tion et de leur intérêt dans le travail bien fait. Je
m'identifie constamment aux bonnes caractéristiques de
chacun de mes associés.*

*Je suis toujours confiant en faisant ce que je connais
bien, et j'accrois ma confiance quotidienne dans d'autres
domaines. Je sais que l'assurance et la confiance en soi
sont des habitudes et je peux développer la merveilleuse
habitude d'avoir confiance en moi de la même façon que*

*j'ai récemment cessé de fumer. Je remplace la timidité par l'assurance, la foi et la Toute-Puissance qui répondent à ma façon habituelle de penser. Je parle avec bonté à tous mes employés. J'honore la Divinité en eux et je réitère constamment:* «*Je peux faire toutes choses par la Puissance de Dieu qui me rend fort.*» *Lorsque des pensées d'auto-critique me viennent, je les supplante immédiatement avec cette vérité:* «*J'exalte Dieu en moi.*»

Ce gérant de bureau prit l'habitude d'affirmer ces vérités environ six fois lentement, calmement et avec amour trois fois par jour, sachant ce qu'il faisait et pourquoi il le faisait. Il bâtissait une nouvelle habitude constructive qui remplaçait l'ancienne. Au bout de six semaines, il était un homme transformé, rempli de sérénité et de confiance intérieure. Il se promût lui-même au poste de vice-président de la corporation avec un salaire de $10 000 par an.

La Bible dit vrai lorsqu'elle déclare: ... *le renouvellement de votre jugement vous transforme...* (Romains 12;2).

POINTS À RETENIR

1. Vous êtes né pour gagner et pour triompher de tous les obstacles par la Toute-Puissance en vous, qui attend d'être animée et utilisée par vous.

2. Les hommes et les femmes qui échouent dans le choix de leur travail ou de leur profession ont ordinairement un modèle mental d'échec. Il est nécessaire de changer l'image mentale et d'imaginer le succès, la réussite et la réalisation de votre but dans la vie; alors votre subconscient répondra et vous forcera à obtenir le succès parce que la loi de votre subconscient y est contrainte.

3. Cessez toute autocondamnation et autocritique. Oubliez le passé et contemplez la réussite, la victoire, le triomphe et le succès. Vous deviendrez ce que vous contemplez.

4. Lorsque vous êtes tenté de vous diminuer, renversez immédiatement cette pensée et affirmez votre bien ici et maintenant.

5. Il y a une loi de l'esprit qui répond à ce que vous décrétez être vous-même, pourvu bien sûr que vous croyiez que ce que vous affirmez est vrai selon vous. Les idées sont transmises au subconscient par la répétition, la croyance et l'attente.

6. Croyez en vous-même et en vos puissances intérieures. Commencez à affirmer vigoureusement: je sais que je peux réussir; je vais accomplir ce que je veux réaliser; je serai ce que je veux être; et je sais que *mon Esprit profond* répondra à ma décision honnête et à ma conviction. Je *sais* que la loi de mon subconscient ne faillit jamais et tout ce que j'y imprime s'exprimera comme tel et se concrétisera.

7. Si vous souffrez du trac sur la scène, visualisez-vous comblé de succès et imaginez un être aimé vous félicitant de votre merveilleux succès et de votre pondération.

8. Vous allez là où est votre vision, que vous soyez né dans un taudis ou dans un palais. Vous êtes riche à cause de ce que vous êtes *intérieurement*. La Loi ne fait acception de personne; il vous est fait selon votre foi.

9. Helen Keller fut privée des sens de la vue et de l'ouïe dès son enfance, mais elle accomplit des merveilles par une lumière cosmique intérieure.

10 Une merveilleuse formule pour le succès est d'affirmer sincèrement: «Dieu me révèle les meilleures façons par lesquelles je peux servir l'humanité.»

11. Devenez conscient de votre vraie valeur. Réalisez *maintenant* que vous êtes un produit spécial et unique de l'expression de Dieu.

12. Si vous vous sentez inférieur ou manquez de confiance en vous, imprégnez votre subconscient d'une façon de penser qui deviendra habituelle: «J'honore et j'exalte Dieu en moi. Je maintiens une saine, respectueuse et entière vénération pour la *Divinité* en moi.» Cette attitude bâtit la confiance et l'assurance en soi.

13. La louange bâtit la confiance chez vos employés ou associés. Complimentez chacun pour le travail bien fait et réalisez que personne n'est parfait dans ce monde. Cette attitude fera disparaître l'attitude autoritaire et agressive qui est l'indicatif d'insécurité et de diminution de soi.

# 3

# Comment acquérir la puissance et le contrôle sur votre vie

Je reçois constamment des lettres de tous les coins du pays et de plusieurs pays étrangers, et je trouve que la majorité de ceux qui écrivent connaissent de grandes vacillations de destin et de fortune.

Plusieurs écrivent et disent à peu près ceci: «Je me débrouille bien pendant plusieurs mois dans le domaine de la santé et des finances puis soudainement, je me retrouve à l'hôpital, j'ai un accident ou j'éprouve une importante perte financière.» D'autres disent: «Pendant quelque temps, je suis heureux, joyeux, plein de vitalité et je pétille d'enthousiasme et soudainement, un flot aigu de dépression me saisit. Je ne peux pas comprendre ça.»

Je viens de terminer d'interviewer un administrateur d'entreprise qui, il y a quelques mois, avait obtenu ce qu'il appelle le sommet du succès et puis, pour utiliser ses propres mots, «le toit s'écroula» sur lui. Il perdit sa maison, sa femme le quitta et il subit une énorme perte sur le marché des valeurs.

Il me demanda: «Pourquoi est-ce que je m'élève si haut et que je tombe si soudainement? Qu'est-ce que je fais de mal? Comment puis-je contrôler ces hauts et ces bas?»

## COMMENT UN ADMINISTRATEUR APPRIT À CONTRÔLER SA VIE

Cet administrateur voulait s'éloigner de ces revirements de fortune et de santé et mener une vie équilibrée. Je lui expliquai qu'il pouvait conduire sa vie de la même manière qu'il conduisait son automobile pour aller travailler chaque matin: les feux verts disent de continuer; vous pouvez enlever votre pied de sur le frein et le poser sur l'accélérateur. Vous arrêtez aux feux rouges et en suivant les règles de la circulation, vous arrivez à votre destination dans l'*Ordre divin*.

Je lui donnai la formule spirituelle suivante avec les instructions d'affirmer ces vérités le matin avant d'entrer dans son auto, dans l'après-midi avant le souper et le soir avant d'aller dormir:

*Je sais que je peux conduire mes pensées et mes images mentales. Je contrôle et je peux ordonner à mes pensées de prêter attention à ce que je désire. Je sais qu'il y a une Puissance et une Présence divine en moi que je ressuscite maintenant et qui répondent à mon appel mental. Mon esprit est l'Esprit de Dieu et je reflète toujours la Sagesse divine et l'Intelligence divine. Mon cerveau symbolise ma capacité de penser sagement et spirituellement. Je suis toujours équilibré, balancé, serein et calme. Les idées de Dieu gouvernent mon esprit et elles sont en contrôle complet; je ne suis plus sujet à de violents revirements d'humeur, de santé et de richesse. Mes pensées et mes paroles sont toujours constructives et créatrices. Lorsque je prie, mes paroles sont remplies de vitalité, d'amour et de sincérité; ceci rend mes affirmations, mes pensées et mes paroles créatrices. L'Intelligence divine agit à travers moi et me révèle ce que j'ai besoin de savoir, et je suis en paix.*

Cet administrateur prit l'*habitude* d'utiliser cette prière régulièrement et systématiquement et en continuant à le faire, il reconditionna graduellement son esprit à l'harmonie, la santé, la sérénité et la pondération. Il ne souffrit plus de ces revers de fortune dont il parlait et maintenant, il mène une vie équilibrée, balancée et créatrice.

La Bible dit: *Qu'elle entre, la nation... dont le caractère est ferme, qui conserve la paix, car elle se confie en toi* (Isaïe 26;2,3).

## COMMENT UNE INSTITUTRICE SURMONTA SA FRUSTRATION

Une institutrice entama une conversation avec moi par ces remarques: «Je suis esclave de la routine. Je me sens frustrée, j'ai échoué en amour. Je suis malade dans mon esprit et dans mon corps. Je suis remplie de culpabilité et je me sens intellectuellement incompétente. Henry Thoreau était juste lorsqu'il disait que la masse des hommes mènent des vies de désespoir tranquille.»

Cette jeune femme était assez jolie, instruite, très intelligente et intellectuellement compétente mais elle se diminuait, se condamnait et se critiquait; ces attitudes sont des poisons mentaux mortels qui vous volent vitalité, enthousiasme, énergie et vous démolissent physiquement et mentalement.

Je lui expliquai que nous avons tous nos hauts et nos bas, nos dépressions, nos chagrins et nos maladies jusqu'à ce que nous décidions de contrôler nos vies et que nous rendions notre propre pensée constructive. Autrement, nous sommes tous assujettis à l'esprit de la masse qui croit dans la maladie, les accidents, la malchance et les tragédies. De plus, nous sentons que nous sommes soumis aux situations et à l'environnement et que nous sommes victimes de notre éducation première, de notre endoctrinement et de notre hérédité.

## La magie d'abandonner nos habitudes de pensées frustrantes

Notre état d'esprit, nos croyances, nos convictions et notre conditionnement mental contrôlent et déterminent notre avenir. Je lui expliquai que sa condition présente était simplement due à la force et à l'autorité de plusieurs milliers de pensées, d'images et de sentiments habituels qu'elle avait consciemment et inconsciemment acquis et répétés pendant plusieurs années.

«De plus, ajoutai-je, vous avez dit avoir voyagé à travers l'Europe, l'Orient et l'Amérique du Nord plusieurs fois mais vous n'avez voyagé nulle part en vous-même. Vous êtes comme l'ascenceur qui dit: *Je monte et je descends mais je ne vais nulle part dans la vie.* Vous répétez les mêmes vieux modèles de pensée et de désir vains, les mêmes procédés routiniers, en plus de l'agitation mentale constante, des remous et des griefs contre vos supérieurs, vos élèves et la commission scolaire.»

## Comment voyager mentalement et spirituellement pour le renouvellement de soi

Elle décida de faire un changement définitif, de sortir de la vieille routine et de commencer à connaître les beautés, les satisfactions et les gloires de la vie. Elle affirma les vérités suivantes plusieurs fois par jour, sachant que ce qu'elle acceptait consciemment trouverait son chemin vers son subconscient et que par la répétition, elle reconditionnerait son esprit pour le succès, le bonheur et la joie de vivre qu'elle

méritait de connaître. Le remède spirituel suivant était absorbé en elle par ses yeux et ses oreilles plusieurs fois par jour:

*Je vais voyager mentalement et spirituellement en moi-
même et découvrir la maison du Trésor de l'éternité dans
mes profondeurs. Je vais définitivement et positivement
briser la vieille routine. Je vais me rendre à mon travail par
une route différente chaque matin et je reviendrai à la
maison par un chemin différent. Je ne penserai plus selon
les manchettes des journaux, pas plus que j'écouterai les
commérages et les pensées négatives qui soulignent
l'insuffisance, la limitation, la maladie, la guerre et le
crime. Je sais que toutes les choses que je fais et qui
m'arrivent dans la vie sont dues à ma façon de penser -
l'esprit de la masse empiète sur mon subconscient et pense
à ma place, ce qui est presque entièrement négatif et
destructif.*

*Une révolution se fait maintenant dans mon esprit, et je
sais que ma vie est transformée par le renouveau de mon
esprit. Je cesse immédiatement de railler et de combattre
mentalement les situations puisque je sais que cette attitude
amplifie véritablement mes problèmes. J'affirme et je me
réjouis d'être l'expression de Dieu et que Dieu ait besoin de
moi où je suis, autrement je ne serais pas là. Dieu est en action dans ma vie, ce qui signifie l'harmonie et la sérénité
totale.*

Ce procédé de prière répétitif fit des merveilles dans la vie
de ce professeur d'université. En allumant le feu vert de la
pensée confiante et constructive, elle devint certaine que
toutes ces semences mentales déposées dans le subconscient
croîtraient selon leurs espèces; l'amour entra dans sa vie: elle
épousa le président de l'université! Elle reçut une promotion
dans sa profession, puis elle eut des expériences spirituelles

profondes; elle découvrit qu'elle avait un grand talent pour la peinture, ce qui lui apporta une joie infinie. Elle libère maintenant la splendeur emprisonnée en elle. Vraiment, la prière change votre vie!

## COMMENT UN HOMME D'AFFAIRES
## RECONSTRUISIT SON ENTREPRISE AVEC SUCCÈS

Un pharmacien me confia: «Je touche le fond du désespoir! Comment puis-je remonter l'échelle? Des cambrioleurs ont volé pour des milliers de dollars de marchandise et de l'argent dans mon magasin et mon assurance couvre seulement une partie de la perte. J'ai perdu une petite fortune à la bourse. Comment voulez-vous que j'aie des pensées constructives sur ces événements?»

«Bien, ai-je répondu, vous pouvez décider de penser ce que vous choisissez à propos de n'importe quoi. Ce que vous avez perdu n'a rien à voir avec la façon dont vous décidez de penser concernant cette affaire. Ce n'est pas ce que la vie vous fait, c'est la façon dont vous réagissez aux événements.»

Je mentionnai à ce pharmacien que le vol et les pertes au marché des actions ne l'avaient pas et ne pourraient pas lui voler des nuits et des journées, sa santé, le soleil, la lune ou les étoiles, ces choses qu'on appelle le pain quotidien de l'âme.

J'ajoutai aussi: «Vous êtes riche mentalement et spirituellement. Vous avez une épouse aimante, bonne et compréhensive et deux merveilleux garçons à l'université. Personne ne peut vous voler la connaissance de la pharmacologie, *materia medica*, la chimie pharmaceutique ou votre finesse et votre sagacité en affaires qui sont toutes des richesses de l'esprit.

«Les voleurs ne vous ont pas enlevé votre connaissance de la loi de votre subconscient ou la voie de l'*Esprit infini* en vous. Il est ridicule de végéter sur ces pensées négatives. Chantez la beauté du bien! C'est maintenant le temps pour vous de réveiller le don de Dieu en vous et d'avancer dans la lumière. Joignez-vous à la *Présence* et à la *Puissance universelles* qui vous procureront toutes les richesses de la vie.»

**La *Loi cosmique* de l'action et de la réaction
et comment l'utiliser**

«Maintenant, ai-je dit, vous savez que vous ne pouvez rien perdre ou gagner sauf dans votre esprit; donc, vous n'admettrez pas la perte mais vous vous identifierez mentalement et émotionnellement aux $30 000 que vous avez perdus, et tout ce que vous affirmerez mentalement et sentirez être vrai, votre subconscient l'honorera, le rendra valide et vous le manifestera. Ceci est la loi cosmique et universelle de l'action et de la réaction.»

En conséquence, il pria comme suit:

*Je suis constamment sur mes gardes contre la pensée négative et je la rejette de mon esprit lorsqu'elle tend à y pénétrer. J'ai confiance en la* Puissance *et en la* Présence infinies *qui voient toujours à me procurer le meilleur. Ma foi est dans la Bonté et la Direction du Dieu Éternel. J'ouvre mon esprit et mon coeur à l'influx de l'*Esprit divin *et je découvre un sentiment de puissance, de sagesse et de compréhension sans cesse grandissant.*

*Je m'identifie mentalement et émotionnellement au $30 000 et je sais que je ne peux rien perdre sauf si j'accepte la perte, ce que je refuse positivement, définitivement et absolument de faire. Je sais que la voie de mon* *subconscient fonctionne. Elle amplifie toujours ce que j'y dépose; alors, l'argent me revient en abondance.*

*Je sais que je ne connaîtrai plus les hauts et les bas de la vie mais que je mènerai une vie dynamique, créatrice, équilibrée et réfléchie.*

*Je sais que la prière est la contemplation des vérités de Dieu du plus haut point de vue. Je sais que les pensées et les idées que je nourris habituellement deviennent dominantes dans mon esprit et elles dominent, gouvernent et contrôlent toutes mes expériences. Ma famille, mon magasin et tous mes investissements sont surveillés par l'ombre de la Présence de Dieu, et l'armure entière de Dieu m'entoure, m'enlace et m'enveloppe. Je mène une vie enchantée. Je sais que la vigilance éternelle est le prix de la paix, de l'harmonie, du succès et de la prospérité. Il n'y a pas de mal sur mon sentier puisque mes yeux sont fixés sur Dieu.*

Le pharmacien prit l'habitude de réitérer et d'affirmer ces vérités éternelles. Quelques semaines passèrent, puis son courtier l'appela et l'informa joyeusement qu'il avait récupéré toutes ses pertes à cause d'une remontée à la bourse. De plus, il reçut une merveilleuse offre pour un lopin de terre qu'il avait depuis dix ans; il le vendit $60 000 alors que son investissement original avait été de $5 000.

Il avait découvert les fonctionnements merveilleux de son esprit et il réalisa qu'il n'avait pas à souffrir des hauts et des bas de la vie.

## L'ESPRIT DE LA MASSE ET COMMENT EN SURMONTER LES EFFETS NÉGATIFS

L'esprit de la masse signifie simplement l'esprit agissant dans trois milliards de personnes en ce monde. Elles pensent toutes avec un seul esprit universel et n'ont pas besoin d'une grande imagination pour réaliser la sorte d'imagerie, de sentiments, de croyances, de superstitions, de laideur et de pensées négatives imprimés sur cet esprit universel.

Il est aussi vrai que des millions de personnes de par le monde déversent dans l'esprit de la masse, quelquefois appelé l'esprit de la race, des pensées d'amour, de foi, de confiance, de joie, de bonne volonté et de succès, plus des sentiments de triomphe, d'accomplissement et de victoire sur les problèmes et une émanation de paix et de bonne volonté envers tous les hommes. Cependant, ils sont encore une vaste minorité et le trait dominant de l'esprit de la masse en est un de négativité.

L'esprit de la masse croit aux accidents, à la maladie, à la malchance, aux guerres, aux crimes, aux désastres et aux catastrophes de toutes sortes. L'esprit de la masse est rempli de peurs et les enfants de la peur sont la haine, la mauvaise volonté, le ressentiment, l'hostilité, la colère et la maladie.

Il est donc très simple pour n'importe qui, voulant penser un peu, de réaliser qu'il est sujet aux épreuves et aux tribulations de tous genres jusqu'à ce qu'il apprenne à prier scientifiquement et à garder son armure de protection. Nous sommes tous soumis à l'influence de l'esprit de la masse, aux moments de négativisme, à l'influence et à la force de la propagande et des opinions des autres. Et aussi longtemps que nous refuserons de devenir des penseurs *de droite ligne*, nous connaîtrons de violents revirements de chance et de malchance, de maladie et de santé, de richesse et de pauvreté. Si nous refusons de penser pour nous-mêmes du point de vue des principes et des vérités éternels de Dieu, nous ne serons qu'un parmi la masse et nous connaîtrons inévitablement les extrêmes de la vie.

## COMMENT NEUTRALISER LES INFLUENCES NÉGATIVES DE L'ESPRIT DE LA MASSE

Prenez le contrôle complet de votre esprit par la pensée et le visionnement constructifs et alors, vous neutraliserez la suggestion négative de l'esprit de la masse qui attaque à jamais les esprits de tous et chacun. Vous pouvez vous élever au-dessus de l'esprit négatif de la masse. La Bible dit dans Jean 12;32: *Et moi, élevé de terre, j'attirerai tous les hommes à moi;* i.e. si vous élevez votre esprit en vous identifiant aux principes d'harmonie, de santé, de paix, de joie, d'intégralité, de richesse et de perfection *(et prenez l'habitude de le faire)*, par la loi de l'attraction, vous attirerez dans votre vie et vous expérimenterez ces qualités et ces attributs de Dieu.

La prière suivante est excellente; elle vous rend capable de vous élever au-dessus de l'esprit de la masse et d'établir une immunité aux fausses croyances et aux peurs de la race:

*Dieu est, et sa Présence circule à travers moi en harmonie, en santé, en paix, en joie, en intégralité, en beauté et en perfection. Dieu pense, parle et agit à travers moi. Je suis divinement mené dans tous mes sentiers. L'Action juste divine me gouverne. La Loi et l'Ordre divins gouvernent ma vie entière. Je suis toujours entouré par le cercle sacré de l'éternel amour de Dieu et la lumière curative de Dieu m'entoure et m'enlace. Lorsque mes pensées errent dans la peur, le doute ou l'inquiétude, je sais que c'est l'esprit de la masse pensant en moi. Immédiatement, j'affirme vigoureusement: «Mes pensées sont des pensées de Dieu, et la puissance de Dieu est avec mes pensées de bien.»*

Continuez à vous identifier à cette prière, méditez-la et vous vous élèverez au-dessus de la discorde, de la confusion et des trêmes et des tragédies de la vie. Vous ne connaîtrez plus les hauts et les bas mais vous jouirez plutôt d'une vie constructive énergique remplie de créativité et de rythme de la vie.

## COMMENT S'HARMONISER AVEC L'INFINI

Il y a quelques mois, une femme de la Caroline du Nord m'écrivit disant que le monde allait à la faillite, que nos valeurs morales étaient à la baisse, que la corruption était effrénée et que la violence, le crime et le scandale de la jeunesse faisaient les manchettes chaque jour. Puis, elle ajoutait: «Nous pouvons être anéantis par une bombe atomique n'importe quand. Comment nous harmoniser avec Dieu au milieu de toute cette dégénérescence, de la pornographie et du manque d'équité dans lequel nous nous trouvons?»

Je lui répondis dans cette ligne de pensée et j'admis que ce qu'elle mentionnait était vrai mais que la Bible disait: *...Sortez donc du milieu de ces gens-là et tenez-vous à l'écart* (II Corinthiens 6;17). Elle doit avoir l'aptitude et la capacité de s'élever au-dessus du négativisme du monde et de mener une vie remplie et heureuse exactement là où elle est. Je lui soulignai que tout ce qu'elle avait à faire était de regarder autour d'elle et qu'alors, elle trouverait des milliers de gens heureux, pleins de vie, joyeux et libres, menant des vies constructives et contribuant à l'humanité de nombreuses façons.

Nous avons été témoins des extrêmes de l'époque victorienne avec tous ses tabous sexuels, ses restrictions et ses répressions qui poussèrent les gens à agir à l'extrême opposé de ce que nous connaissons aujourd'hui dans l'immoralité et la lubricité qui prévalent dans diverses parties du monde.

La nature fonctionne par extrêmes. L'histoire a été témoin des *ateliers de servitude* où les gens, même des enfants,

47

travaillaient dans des conditions indescriptibles et étaient inadéquatement payés, logés et nourris; véritablement, c'était une sorte d'esclavage. Maintenant, il y a un revirement complet en Angleterre, aux États-Unis et dans d'autres pays, où certains syndicats sont devenus si tyranniques qu'ils ont immobilisé les systèmes de transport en commun d'une ville entière.

Un vieil adage hébreu dit: «Le changement éternel est à la racine de toutes choses.» Vous devez trouver en vous une ancre pour vous accrocher et faire un ajustement divin. Branchez-vous à la *Puissance infinie* en vous et laissez cette Présence vous guider, vous diriger et vous gouverner dans tous les domaines. Vous pouvez mettre la *Sagesse divine* sur un piedestal dans votre esprit conscient en affirmant que la *Sagesse* de Dieu consacre votre intellect et est une lampe à vos pieds et une lumière sur votre sentier. Voici la prière que j'ai donnée à la femme inquiète de la Caroline du Nord. La prière qui changea une vie, et qui peut changer la vôtre.

> *Je réalise que je ne peux pas changer le monde, mais je sais que je peux me changer. Le monde est une agglomération d'individus et je sais que les gens qui sont gouvernés par l'esprit de la masse, la propagande et les opinions émotionnelles sont sujets aux tragédies, aux deuils, aux accidents, aux maladies et aux échecs dans la vie jusqu'à ce qu'ils apprennent à contrôler leur esprit avec des idées divines qui guérissent, bénissent, inspirent, élèvent et dignifient leur âme. Je réalise que la masse des gens est sous l'égide de l'esprit de la masse, remplie d'erreurs, de fausses croyances et de négations de toutes sortes.*

> *À partir de ce moment, je ne combats plus les conditions, les situations et je cesse de me rebeller contre les nouvelles subversives, l'immoralité et la corruption dans*

*les hauts lieux. J'écris des lettres constructives aux membres du congrès, aux sénateurs, aux producteurs de films et aux journaux et je prie pour l'action juste, la beauté, l'harmonie et la paix pour tous les gens partout. Je suis en harmonie avec l'Infini, et la Loi et l'Ordre divins gouvernent ma vie. Je suis divinement guidé et inspiré. L'Amour divin rempli mon âme et des flots de lumière, d'amour, de vérité et de beauté avancent comme un flot tout-puissant de vibration spirituelle qui tend à élever tous les hommes car il est dit: Et moi, élevé de terre, j'attirerai tous les hommes à moi* (Jean 12;32).

### Une heureuse issue à cette prière

Cette jeune femme me téléphona récemment et me dit: «Votre lettre était la plus grande révélation que j'aie jamais lue. Je suis au septième ciel. Maintenant, je sais qu'il n'y a personne qui puisse me changer sauf moi-même. En étant en harmonie avec l'*Infini*, je suis en harmonie avec la *Présence de Dieu* dans le coeur de tous les hommes et de toutes les femmes du monde.»

La Bible dit: *Grande paix pour les amants de ta loi, pour eux rien n'est scandale* (Psaume 119;165).

## POINTS À RETENIR

1. Vous pouvez guider vos pensées, vos images mentales, vos émotions et vos réactions envers la vie aussi facilement que vous pouvez conduire votre voiture dans la bonne direction.

2. Vous pouvez commander à vos pensées et leur demander de prêter attention aux désirs, aux buts et aux

objectifs de votre vie. Vous êtes le maître et vous moulez, façonnez et créez votre propre destinée.

3. Lorsque vous priez, laissez vos paroles s'imprégner de vie, d'amour et de sentiment; ceci rend vos affirmations créatrices.

4. Nous avons tous nos revers de fortune jusqu'à ce que nous décidions de contrôler nos vies et de rendre notre propre façon de penser constructive selon les voies de Dieu; autrement, nous serons soumis à l'esprit de la masse qui croit à la maladie, aux accidents, aux tragédies et à la malchance.

5. Beaucoup de gens voyagent partout dans le monde mais ne vont nulle part à l'intérieur d'eux-mêmes. Voyagez en vous-même mentalement et spirituellement et vous découvrirez dans vos profondeurs les richesses du Ciel.

6. Tout ce que vous faites et expérimentez dans la vie est dû à votre façon de penser consciente et subconsciente. Pensez le bien et le bien suit.

7. Vous pouvez décider de penser tout ce que vous choisissez. Ce que vous avez perdu ou souffert n'a rien à voir avec la manière dont vous décidez de penser à ce sujet.

8. Vous ne pouvez rien perdre sauf si vous en admettez la perte dans votre esprit. Identifiez-vous mentalement et émotionnellement avec l'argent que vous avez perdu et votre subconscient répondra et le multipliera dans votre vécu.

9. *L'esprit de la masse* signifie l'esprit agissant dans trois milliards de personnes sur cette planète. Il est composé de

bonnes et de mauvaises pensées, mais la phase dominante de l'esprit de la masse est négative: c'est l'esprit rempli de peurs, de doutes, de superstitions, de haine, de jalousie, d'avidité et de convoitise de millions de gens.

10. Vous pouvez vous élever triomphalement au-dessus du négativisme du monde et mener une vie fructueuse et heureuse en intronisant dans votre esprit les idées qui guérissent, bénissent, inspirent, élèvent et dignifient votre âme.

11. Harmonisez-vous avec l'*Infini*, sentez et sachez que la *Puissance* et la *Présence infinie* gouvernent, contrôlent et dirigent votre vie, et vous mènerez une vie équilibrée et créatrice, libre de tous les grands revirements de la destinée.

12. Vous pouvez vous élever au-dessus de toute servitude et esclavage de l'esprit de la masse en exaltant Dieu dans votre for intérieur et en réalisant que l'*Amour* de Dieu remplit votre âme et que sa *Sagesse* bénit votre esprit.

# 4

# Comment libérer la puissance infinie pour profiter de chaque phase de votre vie

Pendant une tournée de conférences, je m'adressai un jour à un groupe de personnes dans les montagnes du Colorado. Plus tard, au dîner, mon hôte dit que la plupart des gens s'inquiètent trop et que, par conséquent, ils se privent eux-mêmes d'une vie fructueuse et heureuse.

Il me raconta l'histoire d'un homme âgé qui avait vécu dans l'une des cabines dans les montagnes, tout près de là. Les voisins avaient pitié de lui parce qu'il semblait toujours être fatigué, déprimé, inquiet et seul. Il portait des vêtements en loques et possédait une vieille automobile de modèle 1928. Il semblait n'avoir aucun but dans la vie et il n'avait apparemment pas de parents ou d'amis. Occasionnellement, il allait à l'épicerie et invariablement, il demandait un pain rassis et la nourriture la moins chère qu'il payait habituellement avec de la petite monnaie.

Éventuellement, ne l'ayant pas vu depuis près de deux semaines, les voisins allèrent à sa cabine et le trouvèrent mort. Le shérif chercha dans la vieille cabine pour trouver des noms de parents ou des indices de sa véritable identité. À la surprise de chacun, ils trouvèrent que le pauvre vieil homme avait plus de $100 000 en liasses de $25. Il avait évidemment fait beaucoup d'argent dans les années précédentes et ne l'avait jamais investi ou déposé dans les banques.

Il avait acquis considérablement d'argent mais ne l'avait pas utilisé pour mener une vie riche ou pour le dépenser dans des buts altruistes. De plus, il ne l'avait pas investi sagement pour l'intérêt ou les dividendes. Mon hôte dit que la peur avait dominé le vieil homme. Il avait eu peur que les gens puissent apprendre qu'il avait de l'argent et qu'ils viennent le lui voler. Il avait été un penseur très négatif, il avait eu une fortune sans goûter à la bonne vie. Il aurait pu avoir beaucoup de plaisir et de bonheur.

## VOUS AVEZ UNE FORTUNE À PARTAGER

La maison du *Trésor* de l'*Infinité* est en vous. Vous avez la clé qui ouvre l'entrepôt de tous genres de trésors. La clé, c'est votre pensée qui vous apportera beaucoup plus de richesses de toutes sortes que la solitude et la peur de ce vieil homme, et beaucoup plus de tout ce que vous désirez!

Vous avez la clé de la plus magnifique et merveilleuse puissance du monde, la *Puissance de l'Infini* en vous. La Bible... *Le Royaume de Dieu est parmi vous* (Luc 17;21). Recherchez d'abord la connaissance et la conscience de cette *Présence* et de cette *Puissance* et toutes les choses que vous désirez se déverseront sur vous.

Souvenez-vous que *vos* puissances sont les puissances de Dieu que la personne ordinaire n'utilise habituellement pas par ignorance. Vous avez une fortune à partager en activant le don de Dieu en vous. Vous pouvez partager les dons d'amour et de bonne volonté avec les autres; vous pouvez partager un sourire et un souhait joyeux; vous pouvez faire des compliments et démontrer votre appréciation à vos confrères de travail et vos employés; vous pouvez partager les idées créatrices de l'amour de Dieu avec tous ceux qui vous entourent.

Vous pouvez voir l'intelligence et la sagesse de Dieu dans vos fils et vos filles et les évoquer sciemment et sincèrement; puis ce que vous réclamez et sentez ressuscitera dans leurs vies. Vous pouvez avoir une nouvelle idée valant une fortune que vous pouvez partager avec le monde; ce pourrait être une sonate, une invention, une pièce de théâtre, un livre ou une idée créatrice de développement dans votre entreprise ou votre profession qui vous comblera et comblera les autres.

Souvenez-vous que la seule chance que vous avez est celle que vous vous donnez vous-même. Vous avez la chance de votre vie! Commencez maintenant à extraire mentalement du réservoir infini en vous, et vous vous verrez monter vers le succès, vous élevant et ressemblant à Dieu.

## COMMENT VOUS ÉLEVER À LA HAUTEUR DE VOS DÉSIRS

Il y a quelques années, au cours d'une conférence, madame Vera Radcliffe, organiste de notre église à Los Angeles, raconta le drame émouvant des épreuves et des tribulations de Paderewski avant qu'il ne devienne mondialement célèbre. Il fut prévenu par les célèbres compositeurs et autorités en musique de son temps qu'il n'avait aucun avenir possible comme pianiste et qu'il devrait tout oublier! Les professeurs au Conservatoire de Varsovie, où il alla étudier, essayèrent de leur mieux de le décourager de son désir. Ils soulignèrent que ses doigts n'étaient pas bien formés et qu'il devrait plutôt essayer d'écrire de la musique.

Paderewski rejeta leurs pronostics négatifs et s'identifia aux puissances intérieures; il réalisa subjectivement qu'il avait une fortune à partager avec les hommes de par le monde, précisément la mélodie de Dieu et la musique des sphères.

55

Il pratiqua péniblement et diligemment pendant des heures chaque jour. La douleur le tortura dans des milliers de ses concerts, et comme le dit madame Radcliffe, le sang jaillit occasionnellement de ses mains blessées. Il persévéra cependant, et sa persévérance lui rapporta de fabuleux dividendes. Les puissances intérieures répondirent à son appel et à son effort. *Il savait que la clé de son triomphe était son contact avec la Puissance divine en lui.*

Comme le temps passait, le génie musical, Ignace Paderewski, fut reconnu partout dans le monde, et les hommes de tous les métiers rendirent hommage à cet homme qui toucha et sentit son unité avec le *grand Musicien* en lui, l'*Architecte suprême* de l'univers.

## Le secret du succès de Paderewski

Comme Paderewski, vous aussi avez la puissance de rejeter complètement les suggestions négatives de l'autorité qui vous dit que vous ne pouvez pas être ce que vous voulez être. Réalisez, comme le fit Paderewski, que la *Présence* de Dieu qui vous donna le désir et le talent est la même *Puissance* qui ouvrira la porte et révélera le plan parfait pour la réalisation de votre rêve.

Faites confiance à la *Puissance divine* en vous et vous trouverez que cette *Présence*, cette *Puissance* vous élèvera, vous guérira, vous inspirera et vous mettra sur la haute voie du bonheur, de la sérénité et de la réalisation de vos idéaux.

## COMMENT FAIRE FACE À CE QUI SEMBLE ÊTRE UNE INJUSTICE MONDIALE

En visite à Hawaï, un administrateur junior me dit: «Il n'y a pas de justice dans le monde. Tout est si injuste. Les corporations sont sans âme. Elles n'ont pas de coeur. Je travaille dur et je passe de longues heures après la fermeture, mais des hommes plus bas que moi sont promus et on m'oublie. Tout cela est si déloyal et injuste.»

Mon travail fut de soigner la colère de cet homme. Je reconnais qu'il y a des injustices dans le monde et que, comme le dit Robert Burns, «L'inhumanité de l'homme envers l'homme fait d'innombrables milliers de deuils», mais la loi du subconscient est impersonnelle et éminemment juste en tout temps.

Votre subconscient accepte l'impression de votre pensée et réagit en conséquence. C'est l'appareillage des voiles et non pas les coups de vents qui détermine la direction de l'embarcation. C'est votre pensée, vos sentiments et votre imagination intérieurs, en d'autres mots, votre attitude mentale agissant en vous plutôt que les vents des pensées négatives et les vagues de peur de l'extérieur, qui font la différence entre la promotion et le succès, l'échec et la perte. La loi est absolument juste et mathématiquement précise, et vos expériences sont la reproduction exacte de votre façon habituelle de penser et d'imaginer.

J'expliquai brièvement au jeune administrateur la parabole familière des ouvriers de la vigne où tous les hommes reçurent un denier. Mêmes ceux qui arrivèrent à la onzième heure reçurent le même salaire que ceux qui avaient travaillé toute la journée; ainsi, les hommes qui vinrent à la troisième heure, la sixième heure et la neuvième heure reçurent les mêmes gages. Lorsqu'ils virent que les hommes qui n'avaient travaillé qu'une heure avaient le même salaire, ils furent jaloux et fâchés mais la réponse qu'ils reçurent fut celle-ci: *N'est-ce pas d'un denier que nous sommes convenus?* (Matt. 20;13.)

La loi est pleinement expliquée dans Matt. 18;19... *Si deux d'entre vous, sur la terre, unissent leurs voix pour demander quoi que ce soit, cela leur sera accordé par mon Père qui est aux cieux.* Ceci signifie que lorsque votre conscient et votre subconscient acceptent la promotion, le succès, l'abondance et l'action juste, la loi de votre subconscient les honorera, les exécutera et en portera les fruits dans votre existence.

J'ajoutai: «Vous avez du ressentiment, de la haine et vous êtes rempli de condamnation et de critique envers l'organisation qui vous emploie. Ces suggestions négatives sont entrées dans votre subconscient et vous avez ainsi perdu la promotion, l'accroissement financier et le prestige.»

**Un programme spécifique et une formule à utiliser quotidiennement**

Je lui donnai la formule mentale et spirituelle suivante à pratiquer quotidiennement:

*Je sais que les lois de mon esprit sont absolument justes et que tout ce que j'imprime dans mon subconscient est reproduit mathématiquement et précisément dans mon monde et dans mes circonstances physiques. Je sais que j'utilise un principe de l'esprit et un principe est absolument impersonnel. Je suis à la hauteur des lois de l'esprit, ce qui signifie qu'il m'est fait selon ce que je crois. Je sais que la justice signifie la loyauté, l'équité et l'impartialité et je sais que mon subconscient est absolument impersonnel et impartial.*

*Je réalise que j'ai été fâché, aigri et jaloux et je me suis aussi diminué, critiqué et condamné moi-même. Je me suis psychiquement persécuté, assailli et torturé et je sais que la loi est «l'extérieur reflète l'intérieur»; donc, mon patron et mes associés attestent et confirment objectivement ce que j'ai pensé et senti subjectivement.*

*Ce que j'accepte complètement dans mon esprit, je le recevrai dans mon existence, sans égard aux conditions, aux circonstances ou aux puissances qui puissent exister. Je désire le succès, la prospérité et la promotion pour tous mes associés et j'exsude la bonne volonté et les bénédictions envers tous, partout. La promotion est mienne; le succès est mien, l'action juste est mienne; la richesse est mienne. En affirmant ces vérités, je sais qu'elles sont déposées dans mon subconscient, le médium créatif, et des merveilles s'accomplissent dans ma vie.*

*Chaque soir de ma vie, avant de m'endormir, j'imagine mon épouse me félicitant de ma merveilleuse promotion. Je sens la réalité de toute cette situation mentalement et émotionnellement. J'ai les yeux fermés, je suis dans un état d'esprit endormi, passif et réceptif, mais j'entends ses paroles de félicitations, je sens son étreinte et je vois ses gestes. Tout ce film mental est vivant et réel et je m'endors dans cet état sachant que Lui comble son bien-aimé qui dort* (Ps. 127;2).

Cet administrateur découvrit que la loi de son esprit établit la justice (la conformité aux principes de son esprit). Ayant intronisé les bonnes pensées, la bonne imagerie et les bons sentiments dans son conscient, son subconscient répondit en conséquence. Voici l'équité de l'esprit. Les lois de votre esprit sont les mêmes hier, aujourd'hui et à jamais. Après avoir suivi pendant quelques mois cette méthode de prière, cet administrateur fut élu président de sa corporation et il prospère au-delà de ses désirs les plus chers.

## COMMENT UNE FEMME PARTAGEA SA FORTUNE ET S'ENRICHIT DE PLUS EN PLUS

Il y a quelques années, j'eus plusieurs conversations intéressantes avec une Canadienne. Elle m'informa qu'elle considérait l'argent et la richesse comme l'air qu'elle respirait. Elle se sentait aussi libre que le vent. Depuis qu'elle était enfant, cette femme affirmait: «Je suis riche; je suis la fille de Dieu; Dieu me donne toutes choses en abondance pour en jouir.» Ceci était sa prière quotidienne.

Elle accumula des millions de dollars et elle fit des dons à des collèges et des universités, établissant des bourses pour les garçons et les filles valeureux; elle ouvrit des hôpitaux et des centres d'entraînement pour les infirmières dans les parties les plus reculées du monde. Sa joie est de donner sagement, judicieusement et constructivement et elle s'enrichit davantage.

### Pourquoi les riches s'enrichissent et les pauvres s'appauvrissent

Elle me dit un jour: «Vous savez, le vieil adage est absolument vrai: *Les riches s'enrichissent et les pauvres s'appauvrissent.* Pour les personnes qui vivent dans la conscience de l'affluence et de l'abondance, la richesse circule par la loi cosmique de l'attraction. Ceux qui s'attendent à la pauvreté, à la privation et à l'insuffisance de toutes sortes vivent dans la conscience de la pauvreté et par la loi de leur propre esprit, ils attirent plus d'insuffisance, de misère et de privations de toutes sortes.»

Ce qu'elle disait est définitivement vrai. Plusieurs personnes qui vivent dans la pauvreté sont envieuses et remplies de ressentiment envers la richesse de leurs voisins; cette attitude mentale attire encore plus le manque, la limitation et la pauvreté dans leurs vies. Ils bloquent, probablement sans le vouloir, leur propre bien. Pourtant, ils auraient une fortune à partager s'ils ouvraient leur esprit à la vérité d'être et réalisaient qu'eux aussi ont la clé qui ouvre la Maison du Trésor ou la Mine d'or intérieure. L'exemple qui suit vous démontre comment tout homme possède une fortune à partager.

## SA FORTUNE SE TROUVAIT LÀ OÙ IL ÉTAIT MAIS IL NE LA VOYAIT PAS

Un de mes amis, qui vivait en Alaska, m'écrivit un jour disant que sa vie était insupportable. Il sentait qu'il avait fait une erreur tragique en allant en Alaska pour chercher fortune, que son mariage était un échec complet, que les prix étaient exorbitants et que la tricherie et la surcharge étaient effrénées. Lorsqu'il était allé au tribunal pour dissoudre son mariage, le juge s'était montré malhonnête et il s'était fait rouler. Il concluait en disant qu'il n'y avait pas de justice en ce monde.

Ce qu'il disait était réellement vrai. Nous n'avons qu'à ouvrir les journaux du matin de n'importe quelle région métropolitaine pour y lire qu'il y a des meurtres, des crimes, des vols de sacs à main, des assauts criminels, des viols, de la malfaisance et de l'abus de pouvoir, en plus de la corruption en hauts lieux et de la vénalité dans la magistrature et dans les chambres législatives, mais nous devons nous souvenir que tout ceci est fait par les hommes. *Sortez donc du milieu de ces gens-là et tenez-vous à l'écart...* (II Cor. 6;17)

Vous pouvez vous élever au-dessus de l'esprit de la masse, des cruautés de l'homme et de la convoitise en vous alignant sur le principe de l'*Action juste* en vous. Dieu est la *Justice absolue*, l'*Harmonie absolue*, toute *Bénédiction*, l'*Amour infini* et la *Puissance suprême*. Tous ces attributs, ces qualités et ce potentiel sont de Dieu. Lorsque vous comptez sur ces qualités et contemplez les vérités de Dieu, vous vous élevez au-dessus de l'injustice et des cruautés du monde et vous vous bâtissez une conviction contre toutes ces fausses croyances et ces concepts erronés.

En d'autres mots, vous développez une *Immunité divine*, une sorte d'anticorps spirituel, à l'esprit de la masse.

Cette explication fut le prélude à ma réponse directe à mon ami. Je lui écrivis, suggérant qu'il restât là où il était, et comme je me doutais qu'il désirait fuir ses responsabilités et qu'il cherchait simplement à s'en évader, j'écrivis aussi une courte prière, que voici:

*Où je suis, Dieu est. Dieu habite en moi et Dieu a besoin de moi où je suis maintenant. Cette Présence de Dieu en moi est l'Intelligence infinie, la Toute-Sagesse qui me révèle la prochaine étape s'ouvrant pour moi sur les trésors de la vie. Je suis reconnaissant de la réponse qui me vient comme un sentiment intuitif ou une idée qui jaillit spontanément de mon esprit.*

Il suivit mon conseil et se réconcilia éventuellement avec son épouse. Il acheta une caméra et prit des photographies du Nord du Canada et de l'Alaska, il écrivit de courtes histoires et amassa ce qu'il considérait une petite fortune. Un an passa et pour cadeau de Noël, il m'envoya $2 000 en suggérant que je prenne des vacances en Europe, ce que je fis.

Cet homme avait puisé le bonheur dans la *maison du Trésor* en lui pour ensuite découvrir que sa fortune était exactement là où il était.

## COMMENT UN PROFESSEUR
## DÉCOUVRIT UNE FORTUNE

Il y a peu de temps, je parlais avec un professeur d'université qui était très fâché parce que son frère, un camionneur, gagnait $15 000 et que lui ne recevait que $8 000 par an. Il disait: «Tout cela est injuste. Nous devons changer le système. Je travaille dur et je peine depuis six ans pour avoir mon doctorat alors que mon frère n'est même jamais allé à l'école secondaire!»

Ce professeur était brillant dans sa spécialité, mais il n'était pas conscient des lois de l'esprit. Je lui dis qu'une serveuse dans mon restaurant préféré gagnait plus de $300 par semaine avec les pourboires et j'indiquai que les disparités dont il parlait étaient présentes partout.

J'expliquai au professeur qu'il pouvait s'élever au-dessus de l'esprit de la masse, quelquefois appelé l'esprit de la race ou la loi des moyennes, i.e. l'esprit des cinq sens, l'esprit qui pense des points de vue des circonstances, des conditions et des traditions.

Suivant ma suggestion, il commença à pratiquer le *traitement du miroir* chaque matin et qui consistait à se tenir devant le miroir en affirmant: «La richesse est mienne. Le succès est mien. La promotion est maintenant mienne.» Il continua à affirmer ces déclarations chaque matin pendant environ cinq minutes, sachant que ces idées s'imprégneraient dans son subconscient.

Il commença graduellement à voir comment il se sentirait si toutes ces conditions étaient vraies et au bout d'un mois, il reçut une offre d'une autre université, à $13 000 par an. Soudainement, il découvrit un goût pour l'écriture et ses manuscrits furent acceptés par une grande maison d'édition, ce qui lui rapporta un très bon revenu.

Le professeur découvrit qu'il n'était pas victime du *système* ou du barème salarial tracé par l'université. Sa fortune reposait sur la découverte de la puissance cachée en lui.

## COMMENT LA FOI D'UNE SECRÉTAIRE FIT DES MERVEILLES

Une secrétaire légale se plaignit à moi de la façon suivante: «Je n'ai jamais de chance. Le patron et les autres filles du bureau sont égoïstes et cruels envers moi. J'ai été maltraitée à la maison et par ma parenté toute ma vie. Il doit y avoir une sorte de sort jeté sur moi. Je ne suis bonne à rien. Je devrais me jeter dans le lac!»

Je lui expliquai qu'elle était mentalement cruelle envers elle-même et que la flagellation et l'apitoiement sur elle-même devaient trouver justification et confirmation dans le plan extérieur de sa vie. En d'autres mots, les attitudes et les actions des personnes autour d'elle attestaient et confirmaient son état d'esprit intérieur.

À ce moment, elle cessa immédiatement de se punir elle-même et elle apprit que *la foi... sans les oeuvres... est morte* (Jac. 2;17). La foi, qu'est-ce que c'est? *La foi est... la preuve des réalités qu'on ne voit pas* (Héb. 11;1). La foi est l'image mentale qui se revêt parfois d'un corps manifeste. Chaque image mentale soutenue doit s'exprimer à l'extérieur.

Cette secrétaire, à ma demande, s'imagina que son employeur la félicitait pour son travail efficace, puis elle l'imagina lui annonçant une augmentation de salaire. Elle diffusa constamment l'amour et la bonne volonté envers son employeur et ses associées.

Ayant fidèlement maintenu son image mentale plusieurs fois par jour pendant plusieurs semaines, elle fut complètement ébranlée lorsque, non seulement son employeur la félicita pour son travail mais qu'il la demanda aussi en mariage! Dans quelques heures, en finissant ce chapitre, j'aurai le plaisir de célébrer ce mariage.

Elle avait trouvé la clé qui ouvrait la *maison du Trésor*. Sa foi s'avéra être *la garantie des biens que l'on espère, la preuve des réalités qu'on ne voit pas* (Héb. 11;1).

## POINTS À RETENIR

1. Votre fortune commence par *vous*. Votre pensée et votre sentiment créent votre destinée. Toutes les puissances, les attributs et les forces de Dieu sont enfermés dans votre subconscient et vous avez la clé qui libère les trésors en vous; votre *pensée*.

2. Il y a une puissance cachée en vous qui peut vous sortir du lit lorsque vous êtes malade, vous guérir et vous mettre sur la voie du bonheur, de la sérénité et de tous les bienfaits de la vie.

3. Vous pouvez tirer de votre subconscient une idée valant une fortune. Faites appel à l'*Intelligence infinie* en vous pour avoir des idées créatrices et vous les recevrez. Demandez et vous recevrez.

4. Par la persévérance, l'endurance et la détermination d'atteindre le sommet, vous pouvez vous élever à celui de votre profession ou de votre idéal dans la vie. Ayez des

idéaux très élevés! Vous avez la puissance de rejeter complètement les affirmations négatives des autres et de faire confiance à la *Puissance suprême* en vous qui ne s'éteint jamais.

5. C'est l'appareillage des voiles et non pas les coups de vents qui détermine votre fortune. C'est votre pensée intérieure, vos sentiments et votre imagination qui déterminent votre avenir et vous apportent les richesses de la vie. C'est la justice de l'esprit. Oubliez les injustices du monde ou de l'esprit de la masse.

6. Si vous convenez *d'un denier par jour* avec la vie, celle-ci vous répond en conséquence.

7. Tout ce que vous imprimez dans votre subconscient, bon ou mauvais, apparaîtra comme forme, fonction, expérience et événement dans votre vie.

8. Réalisez que Dieu vous donna en abondance toutes les choses pour en jouir. Affirmez ces dons et les richesses se déverseront dans votre vie. Plus vous donnez, plus vous recevez.

9. Votre fortune est exactement là où vous êtes. Vous pouvez vous élever au-dessus de tout manque et limitation du monde si vous vous unissez mentalement et émotionnellement aux bonnes choses que vous voulez; votre subconscient répondra en conséquence.

10. Si vous voulez faire plus d'argent et jouir d'une vie riche et abondante, arrêtez de vous comparer aux autres et d'envier leur richesse ou leur succès.

11. Votre foi est l'attente confiante que l'image mentale que vous maintenez dans votre esprit se manifestera.

# 5

# Comment prévoir l'avenir et reconnaître la voix de l'intuition

Une des facultés les plus compliquées de l'esprit humain est celle de *prévoir* ou de percevoir un événement futur avant qu'il ne se produise objectivement dans le plan matériel de la vie. Occasionnellement, j'ai perçu d'avance des événements qui sont survenus des jours, des semaines et parfois même des mois plus tard.

Par exemple, en janvier 1967, un ministre de mes amis vint me voir et suggéra que j'organise une tournée de conférences avec lui en Terre Sainte au mois de mai. Je lui dis que j'y penserais et que je lui ferais connaître ma décision.

Ce soir-là, je parlai à mon subconscient avant de m'endormir et j'affirmai ce qui suit: «L'*Intelligence infinie* en mon subconscient est Toute-Sagesse et me révèle la bonne décision concernant le voyage proposé pour l'Israël, la Jordanie, etc.»

Cette nuit-là, j'eus un rêve qui semblait réel et dans lequel je pouvais lire les manchettes du *Los Angeles Times* et du *Citizen News* qui parlaient de la guerre. Dans ce rêve, je fus témoin d'une violente bataille aérienne contre les chars d'assaut entre les Israélites et les Arabes. Je fus témoin d'une vivante réalisation des choses à venir, apparemment cinq mois plus tard. Quand je m'éveillai, je téléphonai à mon ami et lui racontai mon rêve et aussi étrange que cela puisse paraître, il en avait eu un semblable! Il avait aussi prié pour un *Conseil divin*.

Là-dessus, chacun de nous abandonna l'idée d'une tournée de conférences en Terre Sainte. Les événements subséquents - la tragédie de la guerre israélo-arabe - prouvèrent la vérité de la vision intérieure.

La Bible dit: *Compte sur Yahvé et agis bien, habite la terre, et vis tranquille* (Ps. 37;3).

## VOTRE AVENIR EST PRÉSENT DANS VOTRE ESPRIT

Votre esprit est rempli de pensées, de croyances, d'opinions, de convictions, d'impressions et de divers concepts, bons et mauvais. La *Loi cosmique* de l'esprit est que tout ce que nous acceptons mentalement et que nous croyons sera rendu manifeste et se concrétisera dans nos vies.

S'il vous était possible de photographier, de quelque manière que ce soit, le contenu du subconscient de vos amis, vous pourriez prédire leur avenir avec précision et déterminer les événements qui auront lieu dans la vie de chacun d'entre eux. Le docteur Rhine, de l'Université de Duke, a donné une assez grande preuve de la perception extrasensorielle dans d'innombrables expériences, telles la clairvoyance, la préconnaissance, la clairaudience, la rétroconnaissance et la télékinésie toutes appuyées sur des documents.

Une personne très intuitive, un bon médium ou un clairvoyant pourrait percevoir le contenu de votre subconscient et voir clairement (la clairvoyance) les expériences et les événements, bons et mauvais, que vous allez rencontrer sur l'écran de l'espace. La raison en est que vos pensées, vos croyances, vos plans et vos buts, ainsi que leur manifestation, s'accomplissent dans l'esprit exactement de la même manière que l'idée d'un nouvel édifice dans l'esprit de l'architecte, et ils peuvent être perçus avec précision par un bon clairvoyant.

Pour élaborer davantage, j'aimerais affirmer qu'il est possible pour une personne intuitive, dans un état d'esprit perceptif, passif et subjectif, de dégager le contenu du subconscient d'une autre personne et de le révéler au conscient ou à l'homme réveillé. En d'autres mots, dans un état passif, une semi-transe, une personne sensible ou très psychique capte les décisions, les plans, les idées, les peurs, les phobies, les fixations et les états désirables et l'acceptation subjective du mariage, du divorce, de l'entreprise risquée, des voyages et de diverses autres impressions chez *l'autre personne*.

Le médium qui capte vos sentiments, vos croyances et vos impressions subjectives les traduit toutes dans ses propres mots et les prédit en conséquence. Souvent, le médium ou le clairvoyant est extraordinairement précis, pas toujours à cent pour cent mais quelquefois, il en est très près.

Vous devez vous souvenir que ce que le médium voit ou sent doit être filtré et coloré par les contenus de sa propre mentalité et que, pour cette raison, ce qui en ressort est en quelque sorte différent chez chaque médium. C'est pourquoi vous recevez quelquefois des lectures ou des interprétations différentes de différents lecteurs psychiques.

## COMMENT LA PRÉCONNAISSANCE SAUVA UNE FORTUNE ET EN MONTA UNE NOUVELLE

Je suis ami avec un éminent agent d'immeubles qui me dit qu'à chaque soir de sa vie avant de se retirer, il méditait le psaume 91 et demandait le *Conseil divin*, la *Protection* et l'*Action juste* dans toutes ses activités. Un soir, tôt en 1966, à la suite d'un rêve prophétique dans lequel il voyait les manchettes du journal local annonçant une baisse substantielle à la bourse, il eut un besoin intensément puissant de vendre toutes ses actions de prime dans lesquelles il avait investi $400 000; il dit que c'était comme une voie intérieure qui le lui ordonnait et que cette voix était persistante.

Il suivit ce pressant besoin intuitif et vendit ses actions le lendemain avant la fermeture de la bourse. Le surlendemain, il y eut une grosse baisse et ses actions de prime ne sont pas encore revenues à leur cours normal, quelques-unes ayant même baissé de 20 et de 30 points. Ses économies étaient considérables. Depuis, il a racheté plusieurs de ces actions à un prix beaucoup plus bas et à partir de cela, il a fait une autre petite fortune.

Il fit la remarque suivante: «J'ai protégé une fortune et j'ai fait fortune.» Il vit l'événement avant qu'il ne se produise et il écouta la voie de son intuition. Avoir de l'intuition signifie *être instruit de l'intérieur*.

## COMMENT LA PRÉVISION D'UNE MÈRE SAUVA LA VIE DE SON FILS

J'eus une entrevue avec une mère surmenée, émotionnellement épuisée, dont le fils était pilote d'avion au Vietnam. Elle était victime d'un rêve périodique qui l'angoissait beaucoup. Dans le rêve, elle voyait l'avion en feu de son fils qui appelait sa mère à son secours, puis elle voyait l'avion tomber dans la mer. Elle dit qu'elle savait que son fils était noyé.

Tel était le tourment avec lequel elle se réveilla chaque matin pendant plus d'une semaine et ses pensées au réveil étaient chargées de peur et de sombres pressentiments.

J'expliquai à cette mère éplorée, du mieux que je le pus que, sans aucun doute, c'était un signe avant-coureur d'un désastre et qu'en s'accordant de façon subconsciente à son fils, elle avait, hors de tout doute, capté sa peur inconsciente du danger. Elle pouvait le prévenir car, selon toute évidence, l'accident n'avait pas encore eu lieu puisqu'elle n'avait reçu aucune lettre officielle; de plus, le rêve se répétait chaque nuit, présageant qu'il était encore dans l'avenir. Je lui dis d'avoir recours à son concept le plus élevé de Dieu et de *son Amour.*

Elle commença à penser à Dieu comme étant le *Principe vivant infini* d'Amour absolu, de *Sagesse* sans bornes, de Toute-Puissance, de *Félicité*, de Paix, d'harmonie et de joie absolues. À ma demande, elle plaça mentalement son fils sous les soins aimants de Dieu, réalisant que son fils vivait dans le jardin secret du Très-Haut et s'abandonnait sous l'ombre du Tout-Puissant. Elle imagina aussi son fils à la maison, heureux, joyeux et libre, et elle sentit son étreinte.

Cette mère dirigea ses pensées tout au long du jour pour adhérer à ce modèle spirituel de prière. Elle insista sur la lumière, l'amour, la puissance et la paix de Dieu jusqu'à ce que cela devienne réel et elle plaça son fils dans cette atmosphère spirituelle. En persévérant dans cette manière de penser, le cauchemar cessa d'apparaître après la cinquième nuit. Son sentiment envers son fils avait changé de la peur à la confiance qu'il était sain et sauf, protégé par la *Présence bienfaisante.*

Quelques semaines plus tard, alors qu'elle préparait le dîner, son fils entra et vint l'embrasser! Il rentrait du Vietnam et voulait lui faire une surprise. Il lui dit: «Maman, je ne sais pas comment je suis en vie! Mon avion est tombé après avoir été touché mais il n'a pas pris feu. Je n'ai pas été blessé et la chose la plus extraordinaire m'est arrivée: je savais que l'avion tombait mais je n'avais pas peur. J'ai entendu clairement ta voix qui me disait: *Dieu veille sur toi!* et j'ai su que j'étais sauvé.»

La Bible dit: *Il a pour toi donné ordre à ses anges de te garder en toutes tes voies* (Ps. 91;11).

Une chose est évidente dans cette expérience: la mère était en contact télépathique avec son fils, car il n'y a pas de temps ni d'espace dans l'esprit et à travers la prière, elle balaya la peur de son esprit en enveloppant son fils de l'*Amour*, de la *Lumière*, de l'*Harmonie* et de la *Paix* de Dieu. Ceci ouvrit la voie à la réponse de la *Providence* pour libérer son fils de la mort qui, autrement, n'aurait pas pu être évitée. Sa foi et sa confiance furent communiquées à son fils et il connut la joie de la prière exaucée.

## COMMENT LE RÊVE D'UN PÈRE AIDA À ÉVITER LA TRAGÉDIE POUR SON FILS

Voici ce qu'un correspondant de New York raconte dans sa lettre:

*Cher docteur Murphy, il m'est presque impossible de vous dire à quel point je suis reconnaissant. J'ai été profondément intéressé par la lecture de votre livre,* The Amazing Laws of Cosmic Mind Power *(les lois étonnantes de la puissance cosmique de l'esprit). J'ai appris la façon de prier scientifiquement en étudiant chaque chapitre. Ce fut une révélation pour moi!*

*Un de mes fils, camionneur, faisait la navette entre New York et Chicago. Il y a quelques semaines, dans un rêve, je vis son camion montant une pente et mon fils semblait être*

*Psaume 91*

*endormi. À droite de la route, il y avait une montagne, et à gauche, un ravin profond. Soudainement, la camion frappa la falaise et se renversa sur le côté. Dans mon état de rêve, je dis: «Dieu veille sur lui, Dieu le protège et Dieu l'aime.»*

*Alors, je me suis réveillé, mon corps entier tremblait dans l'appréhension du désastre. J'ouvris la Bible et je lus à haute voix le psaume 91, le grand psaume de la Protection.*

*Je priai pour mon garçon pendant environ une demi-heure, commençant ainsi: Toi qui demeure à l'abri d'Élyôn et loge à l'ombre de Shaddaï, dit à Yahvé: Mon rempart... en qui je me fie... et ainsi de suite. Graduellement, un sentiment de paix me couvrit.*

*Plus tard durant la semaine, lorsque mon fils vint à la maison, il me dit qu'il s'était endormi au volant de son camion qui s'était renversé, et qu'il s'était retrouvé sous le camion entre les roues, sauvé miraculeusement et sans une égratignure. Je lui ai alors raconté mon rêve et il m'a dit: «Papa, ta prière m'a sauvé la vie!»*

## COMMENT AIDER À PRÉVENIR LES TRAGÉDIES ET LES REVERS DE FORTUNE

La prière change les choses; d'innombrables biographies en témoignent. Par la prière, je veux dire la méditation des vérités de Dieu au plus haut degré. En pensant constructivement, en vous basant sur les principes universels, vous pouvez changer tous les modèles négatifs dans votre esprit et mener, à partir de ce moment, une vie d'enchantement. En d'autres mots, en remplissant votre esprit des vérités de Dieu, vous pourriez neutraliser, effacer et supprimer de votre esprit tout ce qui ne ressemble pas à Dieu. Vous pourriez éviter toutes les expériences négatives, tels les accidents et les désastres de toutes sortes. Votre évasion de la mauvaise fortune coïnciderait avec votre aptitude à vous élever dans la conscience. *Et moi, élevé de terre, j'attirerai tous les hommes* (les manifestations et les expériences) *à moi* (Jean 12;32).

En méditant les vérités éternelles et les principes de Dieu, vous vous séparez de l'esprit de la masse, ou de la loi des moyennes, qui domine la masse des humains.

Lorsque vous entrez dans la *Paix* de Dieu et laissez *sa Paix* circuler en vous comme un fleuve doré de vie et d'amour, vous avez touché la *Réalité*, ou Dieu, exactement comme ce père fit en priant pour son fils.

## «COMMENT SE FAIT-IL QUE LES PRÉDICTIONS NÉGATIVES CONCERNANT MON AVENIR SOIENT LES SEULES À SE RÉALISER?»

La question ci-dessus vint d'un correspondant d'Alaska.

Vous devez vous souvenir que votre subconscient est l'entrepôt de la mémoire et que plusieurs suggestions, demi-vérités et fausses croyances furent acceptées à l'insu de votre conscient. Souvent, ces choses se réalisent car tout ce dont votre subconscient est imprégné se concrétise dans votre vie tôt ou tard, à moins que *ce ne soit changé* pour le meilleur par la prière.

En d'autres mots, tout homme recevant une suggestion ou une prédiction de nature indésirable pour lui, peut l'empêcher de se réaliser en pensant constructivement aux vérités de Dieu, telles l'harmonie, la paix, l'amour, la beauté, la juste Action divine et l'Amour divin. En contemplant ces principes universels, il se produit une réorganisation des modèles dans son subconscient qui se conforme alors à la configuration mentale de ses pensées et de ses images mentales.

Il est possible de prédire avec un certain degré de précision pour une personne, un groupe, une race, une nation ou le monde entier parce que la majorité des êtres humains ne changent pas beaucoup. Ils vivent avec les mêmes vieilles croyances, les mêmes vieilles traditions, les mêmes concepts raciaux et les mêmes haines, préjugés et peurs. Ils suivent plus ou moins un modèle qui peut facilement être lu par ceux qui s'accordent intuitivement à leurs vibrations mentales.

## COMMENT UNE PRÉVISION RÉSOLUT LE PROBLÈME D'UN MÉDECIN

Un ami médecin écrivait un livre et il avait besoin d'une information spéciale concernant la médecine pratiquée à Babylone et en Égypte. Il pensait que l'information pouvait être disponible dans un musée de New York mais il vivait à Los Angeles et il lui était impossible d'aller à New York.

Je lui suggérai de tranquilliser son esprit et d'immobiliser son attention et juste avant d'aller dormir, de parler avec autorité à son esprit profond comme suit: «L'*Intelligence infinie* en moi connaît la réponse et *elle* me donne l'information dont j'ai besoin pour mon livre.»

Il tomba endormi avec le mot *réponse* et la nuit même, il eut un rêve qui l'informa de visiter une vieille librairie du centre-ville. En entrant dans la librairie, le premier livre qu'il choisit lui donna l'information qu'il désirait.

Souvenez-vous que votre subconscient est uni à l'*Intelligence infinie* et à la *Sagesse* sans bornes et que celle-ci est toute sagesse et connaît le genre de réponses que vous désirez. Elle peut vous répondre par un rêve, un pressentiment, ou par le sentiment que vous êtes conduit sur la bonne voie. Vous pouvez avoir un éclair soudain d'aller à un endroit quelconque, ou une autre personne peut vous donner la réponse.

## COMMENT LA CLAIRAUDIENCE SAUVA UNE VIE

Je parlais récemment à un banquet, et un jeune officier qui était revenu du Vietnam s'assit près de moi et me raconta une expérience fascinante à propos d'une voix venant de *nulle part*.

Suivant des ordres reçus, il conduisait une jeep pour livrer un message à son quartier général. Un sous-officier était assis à côté de lui et ils roulaient à une grande vitesse lorsqu'il entendit la voix de sa mère qui disait clairement et distinctement: «Arrête, Jean! Arrête! Arrête!» Il arrêta la jeep soudainement et son compagnon demanda: «Pourquoi? Qu'est-ce qu'il y a?» et il répondit: «N'avez-vous pas entendu la voix qui disait *Arrête! Arrête!*?» Mais son compagnon n'avait rien entendu.

Après être sortis de la jeep, ils l'examinèrent et trouvèrent une roue desserrée; s'ils avaient roulé quelques mètres de plus, l'automobile aurait été propulsée dans un gouffre sur le bord de la route et ils auraient été massacrés jusqu'au point d'être méconnaissables.

Sa mère était à San Francisco et il dit qu'elle priait pour lui régulièrement matin et soir et aussi pendant la journée, affirmant toujours: «L'*Amour* de Dieu et l'*Armure entière* de Dieu entourent mon fils en tout temps.»

Ce jeune homme réalisa que la voix qu'il avait entendue était un avertissement de son propre subconscient qui cherchait à le protéger et qui, sans aucun doute, avait répondu avec force à la prière de sa mère.

Dans des moments de grande urgence ou de danger imminent, vous trouverez que votre subconscient projette la voix d'une personne à qui vous obéirez immédiatement parce que vous avez confiance et que vous aimez cette personne. Elle vous parlera seulement avec une voix que votre *conscient* acceptera immédiatement comme authentique. Cela ne serait donc pas la voix de quelqu'un à qui vous ne faites pas confiance ou que vous n'aimez pas.

## COMMENT VOUS PROTÉGER ET PROTÉGER LES AUTRES D'ÉVÉNEMENTS MALHEUREUX

Vous pouvez parfois avoir un rêve de préconnaissance, accompagné d'un profond sentiment intuitif qu'un danger plane sur vous ou sur un être que vous aimez.

Si votre rêve présage un événement malheureux ou tragique qui vous est rattaché, ne le tournez pas en dérision comme s'il s'agissait d'une simple fabrication de votre imagination ou d'une hallucination inoffensive.

Priez au sujet de l'avertissement ou du pressentiment et si votre prière est pour quelqu'un d'autre, utilisez le nom de cette personne. Voici un exemple de prière.

### Une prière de protection efficace

*Je réalise que Dieu est la seule Présence et Puissance, et je sais que la Présence de Dieu est amour, ordre, beauté, paix, perfection et harmonie. La Paix intérieure de Dieu circule à travers moi maintenant, comme une rivière. Je reconnais la parfaite Bénédiction et l'Ordre qui sont et qui ont toujours été. Je suis immergé dans l'Esprit de Dieu et Dieu me voit parfait, sain et complet; je suis immergé dans la sainte Omniprésence. L'armure entière de Dieu m'entoure, m'enlace et m'enveloppe et ses Bras éternels me soutiennent.*

Affirmez les vérités de cette prière et persévérez jusqu'à ce que le nuage s'élève et que l'aube se lève. Vous entrerez dans la *Paix* et vous toucherez la *Réalité*. Vous vous serez consciemment uni au *Moi supérieur* et alors, toutes les *Forces divines* s'empresseront de vous procurer la *Joie éternelle*.

*Tout ce que vous demandez en priant, croyez que vous l'avez déjà reçu, et cela vous sera accordé* (Marc 11;24).

## POINTS À RETENIR

1. Une des plus profondes facultés de votre esprit est votre aptitude à prévoir des choses à venir, parfois en rêve ou en vision des profondeurs de la nuit.

2. Vous pouvez toujours demander une direction spécifique de votre subconscient au sujet de n'importe quelle entreprise risquée, tels les investissements, les voyages, le mariage, etc.

3. Le futur est déjà dans votre esprit parce que toutes les pensées, les croyances, les convictions et les impressions dans votre subconscient deviendront, par la loi de votre esprit, des formes, des fonctions, des expériences et des événements.

4. Le docteur Rhine, de l'Université de Duke, a documenté ses expériences de la clairvoyance, la préconnaissance, la clairaudience, la rétroconnaissance, la télékinésie et d'autres facettes de la perception extra-sensorielle.

5. Un médium puissant peut communiquer avec ou se brancher sur le contenu de votre subconscient et de votre conscient, pour traduire ce qu'il voit dans ses propres mots et prédire en conséquence.

6. Vous pouvez recevoir différentes interprétations de différents clairvoyants ou médiums puisqu'ils filtrent ce qu'ils voient à travers leurs propres mentalités et pour cette raison, elles peuvent varier d'un médium à l'autre.

7. Le sentiment de l'intuition peut devenir très développé en vous si vous affirmez constamment que l'*Intelligence infinie* vous guide de toutes les façons.

8. Si vous avez un parent dans une zone de guerre et que vous avez un rêve clair de danger à son sujet, priez pour lui en réalisant que là où il est Dieu est, et *son Amour, sa Lumière, sa Vérité* et *sa Puissance* le protègent et veillent sur lui. Avec une mise en application authentique, vous pouvez empêcher une tragédie.

9. Vous êtes toujours télépathiquement uni à ceux que vous aimez et vos prières pour eux peuvent les guérir, les bénir et les protéger.

10. Lorsque vous faites un rêve annonçant le danger pour un fils, une fille ou un ami, lisez les grandes vérités du psaume 91, mentionnant son nom jusqu'à ce que votre esprit entre dans un état de repos en Dieu.

11. La prière change votre subconscient et celui de l'autre personne et de ce fait, élimine la cause de la tragédie ou de la situation malheureuse qui plane sur vous.

12. En méditant les *Vérités éternelles*, vous sortez de l'esprit de la masse ou de la loi des moyennes et vous bâtissez des convictions à l'encontre de l'esprit de la masse, établissant ainsi votre immunité au danger.

13. Votre subconscient est l'entrepôt de la mémoire et plusieurs suggestions, demi-vérités et fausses croyances y ont été fixées. Remplissez votre conscient des vérités de Dieu et vous enlèverez et effacerez de votre subconscient tous les modèles négatifs.

14. Il est assez facile de prédire l'avenir de personnes ordinaires puisque la majorité des personnes ne changent pas beaucoup dans leurs manières de penser.

15. Il est possible pour vous d'entendre la voix distincte de votre mère, même si vous êtes à 20 000 kilomètres de distance. Votre subconscient choisit une voix que vous écouterez instantanément et à laquelle vous obéirez.

16. Vous pouvez changer tout modèle négatif de votre esprit en réalisant la *Présence* et la *Puissance* de Dieu et en sachant que la *Présence* de Dieu est la présence de l'ordre, de l'harmonie, de la paix, de la joie, de l'intégralité, de l'amour et de la perfection.

# 6

# Comment l'esprit infini révèle des réponses par les rêves, et la signification des expériences hors du corps

La Bible dit: *Par des songes, par des visions nocturnes, quand une torpeur s'abat sur les humains et qu'ils sont endormis sur leur couche, alors il parle à l'oreille de l'homme, par des apparitions il l'épouvante* (Job 33;15-16).

*Après quoi, un songe les ayant avertis de ne point retourner chez Hérode, ils prirent une autre route pour rentrer dans leur pays* (Matt. 2;12).

La Bible est remplie de comptes rendus de rêves, de visions, de révélations et d'avertissements se produisant pendant le sommeil. Lorsque vous êtes endormi, votre subconscient est très éveillé et continue d'être actif car il ne dort jamais. Vous vous rappelez que Joseph interpréta correctement les rêves du pharaon et que ces rêves se réalisèrent. Son succès à prédire le futur lui apporta le prestige, l'honneur et la reconnaissance du roi.

Lorsque vous rêvez, votre esprit conscient est suspendu et endormi. Votre subconscient parle habituellement de façon symbolique et voici pourquoi, à travers les âges, les hommes ont employé des commentateurs ou des interprètes de rêves. Vous savez sans aucun doute que plusieurs psychologues freudiens et jungiens, psychiatres, psychanalystes et psychothérapeutes éclectiques étudient sérieusement les rêves et essaient de les interpréter à l'aide de l'esprit conscient du patient. Souvent, les explications des rêves mènent à la découverte de conflits mentaux, de phobies, de fixations et d'autres complexes mentaux.

Tous vos rêves sont des dramatisations de votre subconscient et vous avertissent, dans plusieurs circonstances, du danger qui plane. Certains rêves sont définitivement prémonitoires et peuvent prédire l'avenir avec précision. Dans d'autres rêves, vous pouvez recevoir des réponses à vos prières. Tous les rêves de nature négative sont sujets à changer et aucun n'est fatal. Votre subconscient, à l'état de rêve, vous révèle la nature des impressions qui y sont faites et vous souligne le tournant que prend votre vie. Les analyses des rêves montrent que les symboles apparaissant dans le subconscient de l'individu sont personnels et s'appliquent à l'individu seulement; et le même symbole apparaissant dans un autre rêve peut avoir une autre signification très différente.

En d'autres mots, votre rêve est personnel et s'applique seulement à vous, même s'il peut montrer votre relation avec une autre personne.

## L'ANALYSE D'UN RÊVE INTÉRESSANT

Il y a quelques mois, une étudiante de l'université qui avait lu mon livre, *The Power of Your Subconscious Mind,* vint me voir pour une entrevue. Au cours de la conversation, elle dit: «J'ai rêvé pendant trois nuits consécutives que j'étais présente à un banquet pour le gouverneur Rockefeller de New York et que j'étais assise près de lui comme invitée d'honneur. Qu'est-ce que cela signifie?» Je lui expliquai que c'était son rêve et que l'interprétation devait être significative pour elle. Je lui demandai ce que le fait d'assister à un banquet avec Rockefeller signifiait pour elle. Elle répondit immédiatement que cela symbolisait la richesse, le prestige, l'honneur et la reconnaissance. Alors, j'ajoutai que cela pouvait bien être son subconscient qui lui projetait quelque honneur spécial et la reconnaissance et peut-être, aussi, une pluie de richesses. Elle sembla accepter ceci et tout cela lui apparut significatif.

Deux semaines plus tard, elle obtint une bourse lui permettant d'étudier en France, et sa grand-mère mourut lui léguant la somme de $50 000 pour ses études et pour son usage personnel. En plus, elle fut invitée à assister au banquet inaugural du gouverneur Reagan, ce qu'elle fit; et ce fut pour elle un moment très agréable.

Vous remarquerez qu'elle n'avait pas pris le rêve au sens littéral. Votre faculté imaginative disciplinée, appelée *Joseph* dans la Bible, peut dépouiller le rêve de sa forme et voir l'idée cachée derrière le symbole.

## COMMENT UN RÊVE CONDUISIT UNE FEMME À LA MAISON QU'ELLE DÉSIRAIT

Une jeune mariée vivant à Beverly Hills expérimenta le même rêve pendant six nuits consécutives. Dans son rêve, elle marchait à travers la maison qu'elle désirait acheter, rencontrait les occupants, flattait le chien et conversait avec la servante espagnole dans la langue de cette dernière. Elle explorait le garage, la remise et toutes les pièces de la maison.

Le dimanche suivant, après être allés à l'église, elle et son mari firent une promenade. En passant aux environs de Brentwood, elle vit la maison dont elle avait rêvé avec une pancarte indiquant: *À vendre par le propriétaire, la maison est ouverte aux visiteurs*. Tous deux entrèrent; le propriétaire de la maison, sa femme, la servante et le chien semblèrent tous inhabituellement apeurés et surpris. Le chien commença à gronder et ses poils se dressèrent.

Après quelques minutes, le propriétaire s'excusa et dit: «Nous avons vu une femme comme vous monter et descendre nos escaliers plusieurs fois le soir et tôt le matin. Notre servante en était affolée et le chien grognait et jappait sauvagement comme s'il voyait quelque chose d'étrange.»

### L'explication de ce rêve est simple

Cette jeune femme leur expliqua qu'elle priait pour avoir la bonne maison et que chaque nuit, elle demandait à l'*Intelligence infinie* de son subconscient de la diriger vers la maison idéale qui serait spacieuse, charmante, bien située et idéale dans tous les sens.

Sans aucun doute, comme elle s'endormait avec l'idée d'une maison en y pensant exclusivement, elle chargeait son subconscient de la mission qu'*il devait remplir*. Soudainement, en rêvant, elle se retrouvait en dehors de son corps physique mais possédant une sensation subtile et atténuée de son être qui la rendait capable de voyager à travers les portes fermées et de défoncer le temps et l'espace. Elle se trouva dans cette maison et fit connaissance avec toutes les pièces, aussi bien qu'avec les occupants. Elle leur dit qu'elle aussi avait été surprise lorsqu'elle les avait rencontrés, puisqu'elle les avait vus plusieurs fois avant en état de rêve.

### Son *vrai* visage extra-sensoriel

Cette femme projetait son corps astral et était perçue comme une apparition par les gens de la maison qu'elle visitait. Cette perception était visuelle et auditive car ils entendaient ses pas et la voyaient clairement. Cette jeune femme percevait son propre corps physique chez elle, dans son lit, et savait qu'elle voyageait et agissait dans sa quatrième dimension. Des corps ainsi projetés peuvent être perçus comme des fantômes ou des apparitions par les gens qui sont très sensibles et qui sont psychiquement harmonisés aux vibrations plus intenses ou à une démonstration psychique.

Cette jeune femme et son mari achetèrent la maison et il y eut une très harmonieuse atmosphère dans toutes les procédures de transferts des titres de la maison.

## COMMENT LE RÊVE DE L'AUTEUR DEVINT UNE EXPÉRIENCE VIVANTE

Un jour, je visitais l'Université Yoga Forest, à Rishikesh, en Inde, au nord de la Nouvelle-Delhi, dans le but de faire des conférences. Plusieurs nuits avant d'entreprendre le voyage, j'expérimentai des rêves vivants de l'endroit, et je rencontrai tous les professeurs et les étudiants dans mes rêves.

À mon arrivée, je découvris que je connaissais mon chemin dans les locaux. Toutes les maisons, les salles de conférences, les professeurs et les étudiants m'étaient très familiers. J'indiquai à un domestique la chambre qui m'était réservée et j'en décrivis son apparence intérieure. Je lui dis même la sorte de nourriture qu'il allait me servir. Je lui dis aussi ce qu'il allait me dire ensuite, car j'avais entendu sa voix auparavant. Il était surpris et dit: «Vous devez être clairvoyant et clairaudient.»

Je lui expliquai l'expérience de cette façon. Sachant que j'allais donner des conférences à l'Université Yoga Forest et pendant que j'étais profondément endormi, mon corps souple, quelquefois appelé le corps astral (qui a exactement la même forme que mon corps physique mais, oscillant et vibrant à une fréquence beaucoup plus haute, est néanmoins un *corps*) voyageait là, transformant mon rêve prémonitoire en une expérience subconsciente.

En d'autres mots, je me rendis là dans mon corps astral, je conversai mentalement mais naturellement avec plusieurs personnes et j'entendis leurs voix et leurs réponses. De plus, dans cette merveilleuse forme psychique de voyage astral, je vis toutes les beautés de la rivière Gange, les montagnes de l'Himalaya et le charme de la campagne.

### «Je vous ai déjà vu dans un rêve»

Lorsque je me présentai au Yogi Sivenanda, qui dirigeait l'Ashram, il s'exclama: «Je vous ai déjà vu plusieurs fois dans mes rêves et j'ai aussi entendu votre voix!» Je lui expliquai que l'expérience était mutuelle; que j'avais visualisé un merveilleux voyage et que j'en avais imprégné mon subconscient puis que je m'étais endormi là-dessus. J'expliquai que je l'avais aussi rencontré subjectivement dans un état de rêve qui se concrétisa parce que pendant que mon corps était endormi à Beverly Hills, en Californie, je me trouvais dans un nouveau corps, visitant tous les endroits dans son Ashram et entendant toutes les voix. Maintenant, j'y arrivais consciemment et objectivement et je connaissais concrètement tous les états subjectivement sentis pendant mes voyages extra-sensoriels. En d'autres mots, ce que je voyais et entendais objectivement, je l'avais vu et entendu subjectivement auparavant.

Dans ses rêves, Yogi Sivenanda me voyait par clairvoyance et étant clairaudient, il entendait ma voix, comme vous pouvez penser, parler, agir, voyager et même bouger toutes sortes d'objets en dehors de votre corps. Vous pouvez voir et être vu, vous pouvez comprendre et être compris, et vous pouvez aussi communiquer les messages et donner un compte rendu de tout ce que vous voyez. Toutes vos facultés, telles la vue, l'ouïe, le goûter, l'odorat et le toucher, peuvent être dédoublées dans l'esprit seul, indépendamment de vos cinq sens. Ceci prouve en conclusion que vous pouvez vivre en dehors de votre corps actuel et que l'*Intelligence créatrice* en vous a voulu que vous utilisiez ces facultés qui transcendent votre corps tridimensionnel de votre environnement.

## COMMENT SON RÊVE ESSAYA DE PROTÉGER SA SANTÉ

Un homme apparemment en parfaite santé rêva à plusieurs occasions qu'il était opéré pour un trouble de la prostate. Il me demanda si je croyais qu'il devait voir un médecin pour un examen médical mais il affirma qu'il n'avait pas de symptôme ni de douleur d'aucune sorte. Il était venu me voir concernant un problème conjugal de nature émotionnelle. Je clarifiai les fonctionnements de son subconscient jusqu'à un certain degré, précisant que celui-ci cherchait à le protéger à tout prix et que, sans aucun doute, *il l'avertissait de l'éminence d'une quelconque lésion organique ou d'un quelconque dérèglement.* Le subconscient raisonne par déductions sur une base de réalité et le lui révélait donc sous forme de rêve. Il comprit que son rêve était personnel et que toute explication ou interprétation devait être en accord avec sa perception intuitive.

Je suggérai qu'il voit son médecin immédiatement et qu'un urologue lui fasse un examen complet. Cependant, il tarda à voir son médecin. En l'espace de quelques jours, il développa un serrement et un blocage urinaire et eut des douleurs atroces. Son médecin le fit entrer à l'hôpital et demanda un urologue expérimenté pour l'opérer immédiatement. Je lui rendis visite à l'hôpital peu de temps après et il me dit: «J'aurais dû prêter plus attention à mon rêve et agir plus rapidement.» Cependant, je suis heureux de dire qu'il eut un merveilleux rétablissement, car il continua à remplir son subconscient de pensées saines, harmonieuses, remplies de vie et de santé parfaite.

Vous comprendrez que son subconscient l'avertissait véritablement de faire quelque chose, puisqu'il connaissait l'infection et l'élargissement prostatique. Le présage, le pressentiment qu'il allait être opéré, était probablement causé par la condition déjà existante. Cependant, il avait fait l'erreur de retarder l'examen médical.

L'ancien proverbe est vrai: *la nuit porte conseil.* La clé de cette application pratique peut être développée à travers votre conscience psychique.

## LES DIFFÉRENTES FORMES DE RÊVES

Il y a plusieurs types de rêves dont plusieurs sont dus à des problèmes d'estomac, des tourments mentaux et émotionnels, des malaises physiques, des besoins sexuels refoulés ou anormaux et diverses peurs et croyances superstitieuses.

Cependant, il y a aussi des rêves où vous voyez un événement futur avant qu'il n'arrive, des rêves qui donnent une réponse définie à votre prière et souvent vous recevez, en état de rêve, des directives pour réagir.

## COMMENT UN RÊVE AVERTIT UNE FEMME PRÊTE À SE MARIER

Une jeune femme me parla d'une remarquable réponse qu'elle reçut lors d'un rêve. Le soir, en allant dormir, elle affirmait: «L'*Intelligence* infinie de mon subconscient me révèle la réponse à la demande en mariage de_____.» Pendant la nuit, elle eut un rêve plutôt étrange dans lequel elle vit son fiancé en costume de prisonnier derrière les barreaux et un garde armé à l'extérieur de la cellule. Un homme apparut dans le rêve et dit: «Ne reconnais-tu pas cet homme?»

Elle se réveilla soudainement assez bouleversée et intuitivement, elle comprit que l'homme de son rêve était son fiancé. Elle téléphona à son frère, détective dans la force policière locale, qui vérifia les dossiers de son fiancé. Il découvrit que cet homme avait une épouse à New York et qu'il avait, de plus, passé cinq ans en prison. Tout cela, il le lui avait dissimulé. Elle rompit immédiatement les fiançailles et fut profondément reconnaissante à ce guide intérieur qui cherche toujours à vous protéger si seulement vous l'écoutez.

*Yahvé dit: ... c'est en vision que je me révèle à lui, c'est dans un songe que je lui parle* (Nombres 12;6).

## COMMENT PRÉPARER VOTRE ESPRIT AVANT DE VOUS ENDORMIR

Lorsque vous entrez dans un état de somnolence, il y a une émergence de votre subconscient et vous êtes dans une condition mentale hautement sensibilisée. La pensée et le sentiment que vous avez avant de dormir sont immédiatement transmis à votre subconscient qui commence alors à agir selon tous les désirs, les idées et les instructions que vous transmettez consciemment pendant que vous êtes éveillé.

Souvenez-vous aussi que votre subconscient est impersonnel et neutre - il acceptera vos pensées négatives, pleines de ressentiment ou de haine, aussi bien que les bonnes pensées, et il agira en conséquence. Le subconscient amplifie et multiplie tout ce que vous y déposez, que ce soit *bon ou mauvais;* il est donc important que vous nettoyiez votre esprit de toutes pensées irritantes et troublantes, libérant alors un passage pour que les *Énergies Divines* s'écoulent en vous constructivement.

**Une technique efficace à suivre chaque soir**

Revoyez les événements de la journée; quels que soient les différends, les controverses ou les vexations qui puissent être survenus, affirmez pour vous-même tranquillement: «Je me pardonne complètement et librement d'avoir hébergé des pensées négatives et pour la façon négative dont j'ai réagi à tel ou tel problème. Je prends la résolution de m'occuper de ces problèmes de la bonne manière la prochaine fois. J'irradie l'amour, la paix, la joie et la bonne volonté envers tous ceux qui m'entourent et à tous les gens partout. L'amour de Dieu remplit mon âme et je me réjouis du succès et du bonheur de mes associés et de tous les hommes et toutes les femmes partout. Je suis en paix. Je dors en paix ce soir, je me réveille dans la joie et je vis en Dieu. Je suis reconnaissant de la joie de la prière exaucée.»

## COMMENT LE RÊVE D'UNE MÈRE PROTÉGEA SA FILLE

Récemment, je reçus une lettre d'une femme qui disait qu'elle avait utilisé les prières suggérées dans un de mes livres, *Miracle of Mind Dynamics* (le miracle de la dynamique de l'esprit), pour elle-même et sa fille. Elle avait eu un soir un rêve déchirant dans lequel elle avait vu sa fille violée et étranglée par un jeune homme. Le rêve se déroulait dans une automobile sur un chemin de campagne. L'expérience entière fut un terrible cauchemar et elle se réveilla en criant.

Elle décida d'agir selon cet avertissement, *sachant qu'il n'existe pas de sort inexorable et que la tragédie pouvait être évitée en s'harmonisant à Dieu et en priant.* Elle pria comme suit:

> *Ma fille est une enfant de Dieu. Là où elle est, Dieu est présent. Dieu est remplie d'harmonie, de paix, de beauté, d'amour, de joie et de puissance. Ma fille est immergée dans la Présence de Dieu et l'Armure de Dieu l'entoure. Elle est protégée par Dieu, son Père aimant. Elle habite dans le temple secret du Très-Haut et elle demeure sous l'ombre de la Toute-Puissance.*

Après avoir médité à peu près dix minutes, la mère goûta un sentiment de paix et de tranquillité et retourna dormir.

Le matin, elle appela sa fille mais ne put la rejoindre à l'école parce que c'était congé dans cet état-là. Au cours de la journée, elle continua à prier pour sa fille. Le soir, sa fille l'appela et lui dit: «Maman, tu m'es apparue la nuit dernière dans un rêve et tu m'as suppliée de ne pas sortir me promener avec un des garçons de l'école parce qu'il était très agressif et que je le regretterais certainement. Je me sentais terriblement inquiète. Ce matin, j'ai eu un appel de lui me demandant d'aller faire une promenade avec lui à la campagne; j'ai refusé, disant que j'étais malade.

«Mon amie est allée avec lui en dépit de mes recommandations, parce que je lui avais raconté mon rêve. Il l'a violée et presque étranglée à mort. Elle est maintenant à l'hôpital et la police recherche le garçon qui est disparu de chez lui.»

Il y a une communication télépathique en tout temps entre les membres d'une famille et les êtres aimés ou les amis proches. La prière de la mère pour sa fille fut reçue subjectivement par cette dernière qui évita un désastre potentiel dans sa vie.

La Bible dit: *Il a pour toi donné ordre à ses anges de te garder en toutes tes voies. Eux sur leurs mains te porteront pour qu'à la pierre ton pied ne heurte* (Ps 91; 11-12).

## POINTS À RETENIR

1. Les rêves sont des dramatisations de votre subconscient qui apparaissent habituellement sous une forme symbolique. Votre imagination disciplinée peut déchiffrer le rêve et révéler son contenu caché.

2. Certains rêves prémonitoires vous font voir un événement futur avant qu'il n'arrive. La raison en est que dans le principe de l'esprit, il n'y a pas de temps ni d'espace.

3. Les rêves de nature négative peuvent être contrecarrés en communiquant avec la Présence de Dieu en vous et en vous identifiant mentalement et émotionnellement aux vérités de Dieu, transformant ainsi les modèles négatifs de votre subconscient.

4. Il est possible, par le voyage astral, d'être guidé vers la bonne maison, de visiter cette maison et de voir les occupants et tout leur ameublement.

5. Lorsque vous êtes endormi et dans un profond état de rêve, il peut être possible de transcender votre corps psychique, qui peut être perçu comme une apparition ou une vision par les autres.

6. Il y a quelques années, j'eus un rêve profond et réel. Je me suis trouvé en dehors de mon corps à des milliers de

kilomètres d'ici, à l'Université Yoga Forest en Inde, ou j'entrai dans tous les édifices et où je vis les professeurs et les étudiants au cours de ce voyage extra-sensoriel.

7. Vous pouvez voir, entendre, ressentir, humer, goûter et voyager indépendamment de votre organisme physique. Toutes les facultés de vos sens peuvent être dédoublées dans votre esprit. Donc, il fut prévu que vous utilisiez ces facultés et ces puissances indépendamment de votre corps et de votre environnement physique.

8. Vous pouvez rêver que vous serez opéré. Ceci peut être la voix intuitive de votre subconscient vous avertissant de quelque lésion corporelle ou de quelque trouble d'un de vos organes. Il peut être sage de passer un examen médical. Les prémonitions et les forces de votre subconscient sont vos chances de survie.

9. Il y a plusieurs formes de rêves. Si vous vous endormez fâché et plein de ressentiment, votre subconscient peut dramatiser des impressions négatives comme des cauchemars, un tigre qui vous attaque, etc. Allez dormir chaque soir dans un esprit de pardon et de bonne volonté envers tous.

10. Une bonne technique à pratiquer avant de dormir est de nettoyer votre esprit de toutes choses négatives et de le remplir des vérités de Dieu, souhaitant l'amour et la bonne volonté à tous. Affirmez: «Je dors en paix, je me réveille dans la joie et je vis en Dieu.»

11. Dans la Bible, il est écrit: *Yahvé dit:... c'est en vision que je me révèle à lui, c'est dans un songe que je lui parle* (Nombres 12;6). Ceci est votre *Autorité divine*.

7

# Comment l'esprit infini résout les problèmes et sauve des vies à travers le mystère de l'influence des rêves

J'ai constaté, en tant que conseiller, que les gens de toutes les professions sont fascinés par les rêves. Aujourd'hui, des laboratoires de recherches médicales, des équipes de psychologues et de médecins conduisent des expériences sur le rêve dans la vie des hommes et des femmes et ils en sont venus à la conclusion que tous les gens rêvent; de plus, dans des cas de tests approfondis, ces scientifiques ont découvert que lorsque les sujets sont réveillés périodiquement pendant qu'ils rêvent, cette privation de rêve peut apporter des troubles mentaux, émotionnels et même physiques.

Plusieurs personnes connaissent les noms de Freud, Jung et Adler qui sont devenus célèbres pour avoir fouiller dans le monde du rêve de leurs patients. À travers leurs études des rêves de leurs sujets, ces hommes ont développé différentes écoles de psychologie, entre autres, la psychanalyse (Freud), la psychologie analytique (Jung) et la psychologie individuelle (Adler). Ces trois hommes ont beaucoup écrit dans le domaine des rêves et de leurs interprétations et leurs conclusions varient considérablement. Ces différences sont tellement conflictuelles et en désaccord que je ne commencerai pas à en discuter ici.

Le but de ce chapitre et de ce livre, cependant, est de démontrer que la clé pour résoudre votre problème se présente souvent comme une réponse précise et définitive dans un rêve.

## COMMENT BILLY RÉSOLUT SON PROBLÈME À L'AIDE D'UN RÊVE

Billy a douze ans. Il entend mes conférences occasionnellement, car je suggère aux parents que tous les garçons et les filles de douze ans et plus devraient y assister; ils sont très capables de comprendre cet enseignement.

Billy me raconta que sa mère lui avait donné un livre à lire, *Treasure Island* (L'île au trésor), qui parle d'Hawaï. Il l'avait lu avidement et sachant quelque peu comment fonctionnait son subconscient, chaque soir avant de s'endormir, il parlait à ce dernier (qu'il appelle *Subby*) comme suit: «Subby, je vais à Hawaï pour mes vacances. J'y vais en avion et je nagerai dans la mer, je me promènerai à bicyclette sur une des îles, et je vivrai dans un appartement sur le toit d'un hôtel. Je veux une réponse claire, s'il te plaît.»

Il ne discuta pas de cela avec son frère, ni avec son père ou sa mère. Suivant ces suggestions à son subconscient, il eut un rêve dans lequel il vit clairement un appartement sur le toit d'un hôtel, le nom de l'hôtel, le Maui Hilton, et l'île de Maui dans la chaîne des îles hawaïennes. Le lendemain, il dit à sa mère: «Maman, nous allons à Hawaï pour nos vacances», et il lui donna tous les détails.

Elle rit et dit: «Eh bien, c'est toute une nouvelle! Où as-tu pris cette idée?»

Billy répondit: «Tout ce que je sais est que nous y allons et que nous allons vivre dans un appartement sur le toit de l'hôtel.» Sa mère classa le rêve comme une des fantaisies d'un jeune esprit.

Deux semaines plus tard, le père de Billy (qui ne savait rien du rêve), considérant les bonnes notes de son fils à l'école, suggéra que la mère de Billy et les deux garçons aillent passer des vacances à Hawaï, qu'il avait visité et aimé pendant son séjour là-bas comme officier de la marine. Il dit qu'il paierait toutes les dépenses encourues.

Billy hurla: «Je te l'avais dit, Maman! Nous allons à Hawaï! Tous les détails du rêve de ce garçon furent réalisés, incluant l'appartement sur le toit exactement comme il l'avait vu.

Vous remarquerez que ce rêve fut clairement expérimenté par le garçon. Le subconscient est soumis à la suggestion et vous noterez aussi que Billy disait: «Je veux une réponse claire»; son subconscient répondit en conséquence.

## L'IMPORTANCE DU RÊVE PRÉCIS ET CLAIR

Pendant plusieurs années, j'ai suggéré à mon subconscient avant de dormir: «Je rêve précisément et clairement, et je me souviens de mon rêve.» Il semble qu'après une période de temps, j'aie réussi à en convaincre mon subconscient puisque près de 90 pour cent de mes rêves sont aussi clairs et précis que si vous lisiez votre journal du matin. Je reçois plusieurs réponses à mes prières dans les rêves.

Votre conscient a la possibilité de diriger les activités de votre esprit pendant votre sommeil. Vous pouvez arrêter la répétition de *mauvais rêves,* de cauchemars ou de rêves que vous redoutez. Votre conscient contrôle votre subconscient et vous pouvez changer la nature de vos rêves en utilisant votre capacité de choisir et de rejeter les pensées et les idées que vous utilisez, en disciplinant vos réflexions et votre imagination pendant la journée. De cette façon, l'habitude du contrôle de vos rêves viendra graduellement sous votre propre juridiction.

### Comment mon rêve sauva une vie

Un membre de ma congrégation m'appela et me demanda de le bénir à l'approche d'un voyage en Europe, ce que je fis, affirmant quelque chose comme ceci: «L'*Amour divin* et l'*Harmonie* te précèdent, rendant ton chemin joyeux, heureux et glorieux. Les *Messagers divins* de vie, d'amour, de vérité et de beauté veillent sur toi en tout temps, et tous les moyens de transport que tu utilises représentent l'idée de Dieu voyageant d'un point à un autre librement, joyeusement et avec amour. Tu es toujours dans la voûte secrète du Très-Haut et tu es gardée sous l'aile de la *divine Présence.*»

Cette nuit-là, j'eus un rêve dans lequel je vis clairement cette femme en Angleterre achetant un billet pour la France, et je vis l'avion qu'elle prendrait s'écraser en flammes. Je lui téléphonai le lendemain matin et lui dit que mes rêves étaient habituellement clairs et précis, grâce aux suggestions faites à mon subconscient. Je lui demandai si elle projetait un voyage en France pendant qu'elle serait en Europe et elle me répondit affirmativement. Alors, je lui dit ce que j'avais vu dans mon rêve et je lui conseillai de ne pas aller en France par avion.

Elle répondit: «Je suis très reconnaissante que vous m'ayez appelée! Mon frère dans l'autre dimension m'est apparu la nuit dernière dans mon rêve et m'a dit: *Petite soeur, ne te hazarde pas à monter dans cet avion en Angleterre, cédulé pour Perpignan, en France;* puis, il a disparu. J'ai déjà annulé mon voyage, car j'ai un sentiment très puissant qu'il serait désastreux.»

Subséquemment, les manchettes révélèrent le voyage fatal dans lequel 88 personnes furent tuées.

Ayant lu le présent livre jusqu'à ce point, vous verrez facilement la cause des rêves. En priant ensemble au téléphone, nous avons imprégné et activé nos subconscients qui voient tout et savent tout, et ils répondirent symboliquement dans son cas et littéralement dans le mien.

L'instinct de conservation est la première loi de la vie et votre subconscient cherche toujours à vous protéger et à vous préserver des maux de tous genres. Souvenez-vous aussi que l'harmonie et la discorde ne cohabitent pas; donc, elle n'aurait pas pu être dans l'avion qui prit feu, puisqu'elle affirmait que l'amour et l'harmonie de Dieu la précédaient, rendant son voyage normal et joyeux.

L'apparition de son frère fut une dramatisation de son subconscient; il est Toute-Sagesse et il connaît la voix que vous écouterez. Son frère l'avait élevée parce que leur père était mort lorsqu'elle était très jeune; il avait joué le rôle de père pour sa soeur, il l'avait envoyée à l'université et avait payé toutes ses dépenses. Il était passé dans l'autre dimension quelques mois avant ce rêve.

## COMMENT UN GARÇON CONTRÔLA SON SUBCONSCIENT DANS UN RÊVE

Un jeune garçon, qui avait lu et entendu des histoires de fantômes, me fut amené par sa mère. Toutes les nuits, un fantôme ressemblant à un homme, vêtu d'un drap blanc et ayant une figure terrifiante, disait au garçon: «Je t'enlève. Tu es un mauvais garçon.» Ce rêve était néfaste à l'enfant car il se réveillait en criant et en pleurant chaque nuit.

Je suggérai au garçon qu'il cesse de lire des histoires de fantômes parce que son esprit profond amplifiait les pensées et les images maintenues par son conscient avant de s'endormir. Je suggérai aussi: «Lorsque le vieil homme à l'apparence de fantôme viendra dans ton rêve, soit gentil avec lui, car il s'agit probablement d'un vieil homme seul qui aime réellement les garçons; il veut que tu sois gentil avec lui. Peut-être a-t-il perdu un fils et essaie-t-il d'être ami avec un garçon qui lui ressemble. Cette nuit, lorsque tu iras dormir, s'il se présente, dis-lui: *Allo, je suis ton ami et je t'aime.* Serre-lui la main et offre-lui quelques biscuits que ta mère fait.»

Cette nuit-là, il apporta des biscuits au lit et les mit sous son oreiller et lorsque l'homme apparut, sa mère qui dormait à côté de lui l'entendit dire dans son sommeil: «Allo, je suis ton ami et je t'aime. Voici quelques biscuits pour toi. Ma mère les fait et ils sont bons.» Le garçon chercha les biscuits sous l'oreiller et les offrit au fantôme. Alors sa peur envahissante disparut. Il se détendit et sombra dans un profond sommeil réparateur. Il se libéra de son horrible cauchemar.

Il avait accepté les suggestions que je lui avait faites et il avait suivi les directives, contrecarrant ainsi les impressions de peur qu'il avait inconsciemment imprégnées dans son esprit. Il se fit ami dans son sommeil avec le soi-disant spectre et il apporta la paix à son esprit troublé.

## COMMENT VOUS POUVEZ CHANGER UN RÊVE TROUBLANT

Plusieurs personnes qui lisent des histoires de meurtres ou de détectives ou regardent des drames violents à la télévision prennent ces pensées troublantes et les imaginent dans leur subconscient lorsqu'elles dorment. Leur esprit profond amplifie et dramatise excessivement chaque chose qui y est imprimée. Alors ces personnes souffrent et connaissent des cauchemars où les lions, les tigres et d'autres animaux sauvages les attaquent. J'ai conseillé plusieurs personnes bouleversées d'affirmer avant de s'endormir:

*Je sais pourquoi je rêve de cette façon, et je sais que c'est un rêve. Je continue de rêver mais le cauchemar cesse, il est transformé. L'Amour de Dieu remplit mon âme, je rêve paisiblement toute la nuit et je me réveille dans la joie.*

Cette technique fonctionne invariablement. N'importe qui peut pratiquer cette méthode pour la guérison des cauchemars qui résultent de la lecture d'histoires de fantômes, d'histoires de meurtres ou d'avoir regardé des films de guerre ou des émissions de télévision de nature psychopathe.

Je suggère à chacun de lire plusieurs fois avant de s'endormir un des beaux psaumes suivants: les psaumes 23, 27, 42, 46, 91 ou 100. Alors, vous neutraliserez tous les modèles nuisibles dans votre subconscient et l'imprégnerez à la place de toutes les choses qui sont bonnes et de bon aloi. Ce que vous imprimez dans votre subconscient est toujours exprimé comme forme, fonction, expérience et événement.

## COMMENT UN JUGE EUT UNE RÉPONSE DANS UN RÊVE

Un juge qui est membre de mon club me raconta un rêve des plus intéressants. Pendant environ cinq nuits consécutives, il rêva qu'il regardait un singe dans la rue qui indiquait «rue Murphy», et il se trouvait alors avec une foule de personnes au théâtre Wilshire Ebell, au coin des boulevards

Wilshire et Lucerne, à Los Angeles, où je donne des conférences publiques. Il ne me voyait pas dans le rêve mais celui-ci le troublait; il en parla à son épouse et elle suggéra qu'il m'en parle.

Je répondis: «De façon générale, lorsqu'un rêve se répète plusieurs nuits, votre subconscient le redramatise parce qu'il est très important pour vous, de la même façon que dans une procédure judiciaire, vous pouvez insister sur un point vital de la loi qu'il est essentiel de faire connaître au jury.» J'ajoutai que son rêve était personnel et que toute explication devait coïncider à son propre point de vue.

Je lui dis que ma perception intuitive du rêve était que même s'il n'existait pas de rue Murphy près du théâtre Wilshire Ebell, son subconscient, pour des raisons personnelles, voulait qu'il assiste à la conférence sur *l'approche spirituelle à l'injustice*, le dimanche suivant; la signification symbolique de «rue Murphy» signifiait sans aucun doute le nom du conférencier (moi-même).

Le juge sembla réfléchir profondément puis il dit: «C'est vrai. J'ai passé quelques nuits sans sommeil à cause d'une décision que je dois prendre et je me suis posé des questions sur l'approche spirituelle car il y a tant d'iniquité et d'injustice dans le monde depuis l'existence de l'homme.»

Il vint à la conférence ce dimanche-là, et en me donnant la main avant de partir, il dit: «Vous aviez raison et mon rêve était exact. J'ai maintenant la réponse et je sais quelle sera ma décision.»

Les voies de votre subconscient sont mystérieuses. La Bible, en référant au fonctionnement de votre subconscient, le décrit dans ces mots: *Car vos pensées ne sont pas mes pensées et mes voies ne sont pas vos voies, oracle de Yahvé. Haut est le ciel au-dessus de la terre, aussi hautes sont mes voies au-dessus de vos voies et mes pensées au-dessus de vos pensées* (Isaïe 55;8,9).

## LA RÉPONSE AU RÊVE D'UN ÉTUDIANT DE LA BIBLE

Récemment, j'eus la visite d'un étudiant qui est en quatrième année au séminaire et il me fit remarquer que la définition première de Freud était qu'un rêve symbolise un désir réalisé, mais que cela ne s'appliquait sûrement pas à son rêve précis.

Dans notre discussion, je dis que son subconscient pouvait projeter, sous forme de rêve, toute chose qui pouvait sérieusement le troubler; que lorsque l'esprit conscient, profondément préoccupé par les études bibliques ou religieuses, pense à quelqu'un, ceci peut très bien trouver une expression symbolique dans les versets ou les personnalités bibliques, sous forme de rêve; et que tout ce qu'il avait à faire était de lire la vision de Pierre dans les Actes 10, commençant avec le 9e verset, et voir comment le dilemme de Pierre fut complètement résolu dans un rêve lorsque la voix de l'intuition lui parla ainsi: ... *Ce que Dieu a purifié, toi, ne le dis pas souillé* (Actes 10;15).

### Le rêve de l'étudiant de la Bible

Pendant plusieurs nuits, alors qu'il dormait profondément, cet étudiant vit une épée brillante, et un homme qui semblait être Jésus brandissant l'épée; alors, il vit les mots: «Je viens non pas pour apporter la paix mais pour me battre.»

Il me dit: «Qu'est-ce que cela signifie? J'ai demandé à mon professeur et il a répondu: *Oh! oublie cela. C'est seulement un rêve. Tu as lu la Bible et tu as vu en fantaisie ce que tu y as lu.*»

Le jeune homme dit: «Je suis terriblement troublé. Je suis allé voir un psychiatre attaché à notre institution religieuse. Il m'a donné des tranquillisants qui m'ont calmé. Mais je m'interroge sérieusement sur ce que j'ai lu et entendu et sur ce qu'on m'a enseigné. Je ne peux pas prendre la Bible littéralement; je crois que tous les hommes sont des fils de Dieu, que Dieu ne rejette personne et qu'aucune croyance ou église n'a le monopole de la vérité.»

**Mon interprétation et sa réaction**

Les récits bibliques d'interprétation de rêves indiquent l'importance des rêves prophétiques et divinement inspirés qui sont si nombreux dans l'Ancien et le Nouveau Testaments. Le langage de la Bible est symbolique, figuratif et allégorique et toutes les histoires de la Bible sortent du subconscient des écrivains inspirés.

L'épée est le symbole ancien de la Vérité, de la Présence de Dieu en l'homme qui le détache de la superstition, de l'ignorance, des fausses croyances et des peurs de toutes sortes. Lorsque l'homme apprend la vérité de son être et les fonctionnements de son conscient et de son subconscient, il apprend qu'il est le maître de sa propre destinée. La *Vérité* remue l'homme, crée un conflit dans son esprit et défie toute la fausseté de son endoctrinement, de ses croyances, de ses dogmes et de ses traditions et lui parle d'un Dieu d'amour.

L'épée de la *Vérité* sépare la paille du blé, le faux du vrai. Elle représente la Raison divine par laquelle vous jugez du point de vue des vérités universelles et non pas du point de vue de la théologie faite par l'homme, des opinions des hommes, des liturgies et des cérémonies.

Voici ce que j'expliquai à ce jeune homme: «Votre rêve vous dit de raisonner les choses par vous-même, non pas par les apparences ou les complexités théologiques mais par la raison basée sur les lois mentales et spirituelles qui sont aussi valides que les lois de la chimie, de la physique ou des mathématiques.

«La *Présence de Dieu* en vous vous dit de vous séparer complètement de vos croyances présentes et d'accepter la *Divinité* en vous, qui obéit à tous les hommes. Prenez une décision basée sur les vérités cosmiques, universelles de Dieu qui sont les mêmes hier, aujourd'hui et à jamais. La Vérité divine en vous ne vous laissera pas vous reposer jusqu'à ce que vous croyiez dans la *Bonté de Dieu,* l'*Amour de Dieu,* l'*Harmonie de Dieu* et la *Joie du Seigneur,* qui sont votre force.»

Il y avait un conflit terrible dans l'esprit de ce jeune homme: il professait de croire avec ses lèvres ce que son coeur sentait être faux. Ce conflit avait apporté une maladie mentale presque complète, d'où le besoin d'une attention psychiatrique et de médicaments. Mais lorsque l'effet des drogues s'effaçait, l'infection mentale ou le traumatisme ressortait sa tête affreuse et disait: «Je suis ici, dissous-moi!» Et le rêve réapparaissait.

## La solution

Il me fit la remarque suivante: «Chaque mot que vous dites, je le sens vrai dans mon coeur. Sans égard pour mes parents et ce qu'ils pensent, je quitte immédiatement le séminaire et je pratiquerai ce que je crois réellement.»

Il étudie maintenant la psychologie à l'université, la science de l'esprit et *The Power of Your Subconscious Mind*. Il a épousé une charmante jeune fille et il est extrêmement heureux dans ses nouvelles études. Il a décidé de devenir ministre non confessionnel et de donner aux gens l'interprétation psychologique et spirituelle des Écritures.

## COMMENT LA BIBLE RÉPONDIT À LA PRIÈRE D'UN PRÊTRE

Il y a quelque temps, je dînais avec un de mes parents qui est prêtre dans une paroisse très importante. Il avait eu beaucoup de difficultés avec quelques membres dirigeants de son église ainsi qu'avec son évêque et il avait prié pour la Direction de Dieu concernant la résolution de ce problème.

«Joseph, dit-il, tu enseignes la signification intérieure de la Bible avec laquelle je ne suis pas entièrement d'accord, mais j'accepte en partie ce que tu enseignes. Que penses-tu de ce rêve que j'ai eu quatre ou cinq fois ces derniers mois? J'y ai vu ces mots des proverbes: *Ne dévie ni à droite ni à gauche, détourne ton pied du mal.*» (Prov. 4;27.)

«Bien, Tom, ai-je dit, je suis certain que tu connais la signification de cela aussi bien que moi, et c'est sûrement une réponse à ta prière pour la Direction divine. Tout ceci signifie que tu ne fais rien du tout à propos de la situation, soit objectivement (main droite) ou subjectivement (main gauche), i.e. il n'y a plus de raison de prier.

«*Le pied*, dans la *symbolique biblique*, signifie la compréhension, et *détourner ton pied du mal* signifie arrêter de s'inquiéter et de penser négativement à ce sujet, puisque ton *mal* serait de donner la force aux autres personnes ou aux situations et de ne pas donner toute la puissance à Dieu en toi.»

Il dit: «Tu veux dire que je devrais m'asseoir sans bouger et ne rien dire et ne rien faire de plus et laisser Dieu travailler?» «Oui, ai-je répliqué, c'est exactement cela! Mais si ça n'a pas la même signification pour toi, de toute évidence, ce n'est pas la bonne interprétation.»

Tom dit: «Oui, c'est la bonne. Je le sais!»

Quelques mois plus tard, l'évêque qui l'avait critiqué mourut et les hommes qui créaient les problèmes et qui voulaient le déloger furent mutés par leurs organisations respectives dans d'autres villes.

Il y a quelques jours, Tom m'appela par interurbain et me dit: «Joseph, ce rêve était exact. Pourquoi est-ce venu dans un rêve?»

Ma réponse fut: «Tout ce que je sais, Tom, est que la Bible dit... *C'est dans un songe que je lui parle.*» (Nombres 12;6.)

## POINTS À RETENIR

1. Les gens ont toujours été intéressés par les rêves. Toutes les personnes rêvent, de même que les animaux. Les tensions sont relâchées dans les rêves et vous y trouvez plusieurs réponses à vos prières.

2. L'interprétation des rêves et leur importance ont changé dans les différentes écoles psychologiques. Souvent, cependant, la solution à un problème compliqué vous

vient dans un rêve comme une réponse précise à votre prière.

3. Un petit garçon suggéra à son subconscient ce qu'il désirait voir se réaliser et la manière dont il le voulait; il suggéra alors que la réponse lui soit donnée clairement pour qu'il puisse la comprendre. Le subconscient, soumis à la suggestion, répondit en conséquence.

4. D'habitude, le subconscient vous parle symboliquement dans les rêves; cependant, vous pouvez suggérer à votre subconscient chaque nuit: «Je rêve précisément et clairement», et puisqu'il est le siège de l'habitude, votre constante répétition de cette suggestion, avant de dormir, poussera votre subconscient à vous parler dans des termes précis.

5. Notre esprit est unique dans le principe de l'esprit, il n'y a pas de temps ni d'espace. Il vous est donc possible de voir la réponse dans un rêve pour une autre personne pour qui vous avez prié.

6. Le juge s'interrogeant sur une décision à prendre dans un cas spécial reçut une réponse à sa requête par la compréhension du symbolisme de son rêve.

7. Toute personne souffrant de cauchemars causés par des histoires de fantômes ou de meurtres, ou des films de suspense ou d'autres choses semblables à la télévision, peut modifier ses cauchemars par des suggestions constructives au subconscient avant de dormir.

8. Les étudiants de la Bible peuvent recevoir des réponses à leurs rêves par des prières de demande utilisant certains versets de la Bible, ou par la symbolique d'une

Personnalité biblique en citant un certain paragraphe de la Bible qui révèle la réponse.

9. Un prêtre s'interrogeait sur la décision à prendre concernant un rêve répétitif dans lequel il voyait une citation du Livre des Proverbes l'informant de ne tourner ni vers la droite ni vers la gauche, en d'autres mots de rester immobile et de ne rien faire. Il suivit l'injonction biblique de son rêve et ce fut une réponse parfaite à sa prière.

10. Les voies de votre subconscient sont au-dessus de toute explication, et la Bible, en parlant de votre subconscient, dit: ...*c'est dans un songe que je lui parle* (Nombres 12;6).

# 8

# Comment s'harmoniser avec l'infini et faire agir pour soi la perception extra-sensorielle

Ce livre traite de la clé mentale à la solution des problèmes humains. J'ai découvert que les réponses aux problèmes les plus aigus qui assaillent l'homme viennent de l'intérieur du royaume du subconscient. Lorsque j'avais environ neuf ans, je devins profondément intéressé par la fonction supérieure de l'esprit et je m'émerveillai de ce que nous appelons les puissances intuitives et psychiques qui résolvent les problèmes des fermiers vivant dans les régions reculées de la campagne.

## COMMENT LA PERCEPTION EXTRA-SENSORIELLE AIDA À TROUVER UN FILS PERDU

Un fermier, que nous appellerons Roger, vivait à un demi-kilomètre de chez moi, alors que j'étais très jeune. J'avais l'habitude de lui rendre visite dans les champs et j'éprouvais une joie particulière à l'aider de diverses façons. Un jour, il découvrit que son fils avait disparu. La nuit vint et le garçon n'était toujours pas là. Roger était ébranlé et affligé. Il appela ses voisins et un groupe d'hommes partit à cheval pour le chercher, des connaissances ayant entendu le garçon dire qu'il allait escalader le Mont Kidd, une montagne dans une région éloignée de Cork Ouest, en Irlande, près de chez nous. Les chercheurs, cependant, ne trouvèrent aucune trace du garçon. La nuit vint et ils durent cesser leurs recherches.

Pendant son sommeil, cette nuit-là, mon voisin bouleversé eut un rêve significatif. Il découvrit, par la perception extra-sensorielle, où se trouvait son fils. Le lieu lui était familier et il vit le garçon endormi près d'un rocher et recouvert de broussailles. Au lever du jour, il partit donc à dos d'âne vers la montagne qu'il avait vue dans son rêve. Il attacha son âne et grimpa à pied jusqu'à l'endroit précis où il trouva son fils endormi sous les broussailles. Avec un grand soulagement et un grand bonheur, il réveilla le garçon, et bien que son fils fût surpris de voir son père, il lui dit: «J'ai prié pour que tu me trouves.»

Ce fermier avait révélé, comme des milliers d'autres gens l'ont fait, la puissance de la perception extra-sensorielle pour résoudre ses problèmes. Je peux peut-être ajouter que ce fermier n'était jamais allé à l'école et ne savait pas lire ni écrire. Il ne connaissait certainement rien des lois de l'esprit ou de la perception extra-sensorielle. Les mots *télépathie, clairvoyance* et *préconnaissance* auraient été sans signification pour lui.

Je me souviens d'avoir demandé à Roger: «Comment as-tu su où Jérémie (son fils) était?» Il répondit: «Dieu me l'a dit dans un rêve.»

La réponse, comme vous le voyez, était plutôt simple. Il pensait à son fils et, avant de s'endormir, il se demandait où il était, et il pria probablement Dieu à sa façon simple. Son subconscient lui révéla alors la réponse dans une vision clairvoyante.

## COMMENT VOUS POUVEZ UTILISER LA PERCEPTION EXTRA-SENSORIELLE

J'ai parlé avec des centaines de personnes qui m'ont dit qu'elles avaient obtenu de l'information spécifique qu'elles n'auraient pas pu recevoir par la voie habituelle des cinq sens. Dans tous les cas, elles s'étaient concentrées sur les réponses et leur esprit profond avait répondu en rêves ou en visions nocturnes et dans des éclairs intuitifs.

## Comment une femme devint consciente de sa perception extra-sensorielle

Il y a quelques années, une femme, que nous appellerons madame Louise Dupont, accompagnée de son mari et de leurs invités, visitait la piste de course à Agua Caliente. À ce moment-là, elle n'était pas le moins du monde intéressée par les expériences paranormales ou psychiques ou par le fonctionnement de son esprit profond ou intérieur. Cette nuit-là, avant de s'endormir, elle réfléchit aux courses du lendemain et se demanda quel vêtement porter. Elle commença à penser au fait qu'elle n'avait jamais assisté à une course de sa vie et qu'elle ne connaissait rien aux chevaux, aux jockeys, ni même comment parier dans une course. Avant de s'endormir, elle se dit: «J'espère que je saurai comment faire et que j'aurai quelques gagnants puisque je ne vais parier que quatre dollars: deux dollars dans chacune des deux courses.»

Elle est très intuitive et assez psychique et elle rêve souvent d'événements futurs. Cette nuit-là, elle vit deux chevaux gagnants: *Le Choix de Robert* et *L'Ami de Billy*. Intuitivement, elle sentit qu'ils allaient gagner. (Ses deux fils s'appellent Robert et Billy.)

Lorsqu'ils arrivèrent à la piste de course le lendemain matin, elle demanda à son mari comment parier et il le lui montra. Elle plaça son argent sur les deux chevaux du nom de *Le Choix de Robert et L'Ami de Billy* et les deux gagnèrent à plus de vingt contre un.

Son subconscient, qui est la source de toute perception extra-sensorielle, répondit à la pensée concentrée avant son sommeil. Son attention était centrée sur deux gagnants qui imprégnèrent son subconscient. Ce dernier répondit en conséquence en lui donnant deux gagnants, car c'est ce qu'elle avait demandé simplement et sans stress mental ou tension exagérée.

## LA PERCEPTION EXTRA-SENSORIELLE EN ACTION

Une des premières recherches dans l'étude du phénomène extra-sensoriel fut dirigée par le professeur J.B. Rhine de l'Université de Duke. Le professeur Rhine a publié plusieurs livres et donné des conférences sur le sujet dans plusieurs pays et pour des groupes scientifiques. Il a rassemblé une énorme quantité de matériel, bien authentifié et documenté, sur la puissance extraordinaire de l'esprit. Il est spécialement intéressé par la clairvoyance et la conscience, sans l'utilisation des sens normaux, de ce qui arrive ailleurs dans le monde, vous rendant ainsi capable de voir clairement de tels événements.

Il a aussi élaboré longuement sur la préconnaissance (la vision d'événements à venir), la télépathie (le transfert de la pensée d'un esprit à un autre), la télékinésie (l'action de votre esprit sur les objets externes ou sur la matière, sans aucun contact physique) et la rétro-connaissance (l'aptitude à voir le passé). Il est intéressant de lire les informations concernant les laboratoires académiques ici, en Europe et en Inde où ils utilisent le modus operandi de l'équipement de laboratoire; et les études scientifiques de plusieurs années qui ont fait ressortir que ces facultés de perception extra-sensorielle sont présentes en nous tous mais qu'elles suivent aussi certaines lois d'action mentale.

## Sa perception extra-sensorielle la rendit capable de voir un cortège funèbre

Ma soeur cadette, Elisabeth, alors âgée d'environ cinq ans, cria très fort dans la cour, près de notre maison où nous jouions tous les cinq (deux frères et trois soeurs), qu'elle voyait un cortège funèbre, que grand-mère était morte. Elle nomma le prêtre qui ouvrait le cortège et vit notre père et notre mère qui suivaient dans un carrosse. Nous nous sommes tous moqués d'elle et ma mère la réprimanda d'être si vilaine et méchante de dire que grand-mère était morte alors que nous savions tous qu'elle était bien vivante. Grand-mère vivait à environ vingt-cinq kilomètres de chez nous. Dans ce temps-là, il n'y avait ni téléphone ni communication télégraphique dans cette partie éloignée du pays. La communication se faisait par messager, à pied, à cheval ou à dos d'âne.

Le soir même, un parent arriva en hâte chez nous, annonçant la mort de grand-mère et demandant à mon père et ma mère d'assister à la veillée mortuaire et à l'enterrement. Le messager dit qu'elle était morte à deux heures de l'après-midi, ce qui correspondait environ à l'heure à laquelle ma soeur Elisabeth avait vu les funérailles et le prêtre conduisant la procession.

Cette faculté de perception extra-sensorielle s'appelle la préconnaissance puisque le cortège funèbre (comme l'avait décrit Elisabeth) avait lieu le lendemain et que le prêtre qu'elle avait nommé dirigeait les funérailles. Malheureusement, à cause de la critique de ses facultés intuitives qui furent tournées en ridicule, sa qualité de perception extra-sensorielle fut inhibée et refoulée, avec le temps. Graduellement, sa faculté de préconnaissance s'atrophia plus ou moins.

### Un cas extraordinaire de clairvoyance

Le cas classique est celui du célèbre Emmanuel Sweden-borg, authentifié et minutieusement examiné par le tout aussi célèbre Immanuel Kant. Swedenborg, pendant qu'il parlait à un groupe de scientifiques à Göteborg, en Suède, eut une vision dans laquelle il perçut clairement l'origine et le trajet d'un grand feu à Stockholm, à plus de 400 kilomètres de distance. Il décrivit en détail l'extinction du feu. Quelques jours plus tard, des messagers de Stockholm arrivèrent et attestèrent la précision de sa vision clairvoyante.

Ceci démontre que, dans chacun de nous, il y a des puissances transcendentales qui peuvent se projeter au-dessus des limitations du temps et de l'espace.

## LA PERCEPTION EXTRA-SENSORIELLE EST ACTIVE PARTOUT

Dans un récent voyage à San Francisco, une femme s'assit près de moi dans l'avion. Elle semblait terriblement inquiète et déprimée. Elle m'offrit un journal à lire. Soudainement, j'eus une forte impulsion de lui demander: «Avez-vous quitter votre mari?» Et c'est ce que je fis! Elle sembla être prise de court et dit: «Oui. Pourquoi me le demandez-vous?» «Parce que je le sentais intuitivement», ai-je répondu.

Elle dit: «Oh! Vous êtes une de ces personnes psychiques qui voient dans les choses.» Je dis: «Non, ce n'est pas cela mais occasionnellement, j'ai des impulsions subliminales de mon subconscient qui me révèlent des réponses. Je crois que ceci arrive à quiconque pratique les lois de l'esprit et suit la voie de l'*Esprit infini* en l'homme.»

«Oh, je vois! dit-elle. J'ai quitté mon mari ce matin et je pars en Australie avec un homme de San Francisco dès que son divorce aura été prononcé. Maintenant, je ne sais pas si je fais la bonne chose ou pas. Je suis déchirée entre les deux.»

Je me sentis poussé à offrir mon conseil à ce sujet. Je lui dis que ce qu'elle voulait réellement était de trouver l'homme idéal qui l'aimerait, prendrait soin d'elle et l'apprécierait et que cet amour serait réciproque. «Vous voulez un homme avec qui vous vous accorderiez parfaitement, intellectuellement, spirituellement et dans tous les domaines. Vous êtes maintenant confuse et remplie de haine envers votre mari. Il n'est pas sage de prendre une décision lorsque vous êtes sous le coup d'une émotion négative.»

J'écrivis une prière pour elle et lui dis de l'utiliser et de suivre la voie qui lui viendrait dans les jours suivants. Je lui conseillai aussi de s'abstenir de communiquer avec l'homme qu'elle avait l'intention d'épouser et d'attendre la direction intérieure.

**La prière qu'elle utilisa**

*Je sais qu'il y a un principe d'Action juste dans la vie. Je sais que le Principe de Vie en moi cherche à s'exprimer harmonieusement, paisiblement et joyeusement à travers moi. J'affirme définitivement que l'Intelligence suprême qui guide le cosmos et gouverne les planètes dans leur course me répond et me guide vers la bonne décision. Je remets cette idée ou cette requête à l'Esprit profond en moi où habite l'Intelligence suprême et je suis la voie qui me vient clairement et avec précision dans mon conscient, dans mon esprit raisonné.*

Elle affirma cette prière fréquemment pendant la journée et particulièrement avant de s'endormir. La troisième nuit, elle eut une vision qui la renversa. Son frère décédé lui apparut dans un rêve presque réel et l'avertit de ne pas épouser l'homme de San Francisco, disant qu'il ne faisait que se servir d'elle pour obtenir son argent et que finalement, il ne l'épouserait pas. La voix disait: «Retourne à ton mari», puis le frère disparut.

Voici la perception extra-sensorielle au travail. Les facultés profondes de l'esprit pouvaient lire les motifs de l'homme qu'elle désirait épouser; ces facultés savaient qu'il n'était pas sincère et qu'il était malhonnête, et elles révélèrent la réponse. En d'autres mots, son subconscient dramatisa la réponse à travers la personnalité de son frère, puisqu'il savait très bien qu'elle écouterait la présumée voix de son frère.

Elle me téléphona à l'hôtel Drake et me dit joyeusement: «J'ai reçu ma réponse! Je retourne vers mon mari.» Subséquemment, j'appris qu'ils avaient vécu une merveilleuse réconciliation. Vous ne savez jamais comment vos prières peuvent être exaucées, car les voies du subconscient sont au-delà de toute compréhension.

## COMMENT LA PERCEPTION EXTRA-SENSORIELLE FUT UTILISÉE DANS LE TRAITEMENT DE DÉSORDRES PSYCHOLOGIQUES

Dans un livre intitulé *Healing the Mind* (la guérison de l'esprit) de R. Connell. m.d., et Geraldine Cummins, une célèbre Irlandaise très sensible, le docteur Connell décrit comment il utilisa la perception extra-sensorielle dans la recherche et le traitement de désordres mentaux.

En collaboration avec Geraldine Cummins, une des plus extraordinaires utilisatrices de la perception extra-sensorielle de notre temps, un nombre de cas apparemment sans espoir furent traités avec succès. Le docteur Connell, un célèbre médecin, soumis un spécimen de l'écriture de malades mentaux à Geraldine Cummins pour analyse et l'unique rapport suivant est pris textuellement de son livre avec sa permission:

...La patiente était de tempérament doux, plutôt timide, de développement physique passablement débile et en quelque sorte d'apparence usée. Aucune incapacité physique ne fut déterminée et son cas fut donc examiné en détail.

Le rapport suivant fut reçu à la suite de l'examen d'un spécimen de son écriture envoyé à Londres:

«L'auteur de cette lettre est très nerveuse et sensible. Elle vient d'une bonne famille et ses ancêtres, dans certains cas, avaient de remarquables qualités. Mais deux ou trois d'entre eux eurent une vie difficile. Ceci a causé l'épuisement de la lignée et a donné un système nerveux sensible à cette génération.

«Il y a certainement une tendance ici à la claustrophie et il y a d'autres peurs latentes dans le subconscient de cette femme. Ses ancêtres, qui furent des gens bien, l'ont doté d'une certaine timidité due au fait que certains d'entre eux vécurent une vie plutôt isolée à la campagne. Mais la cause fondamentale de la peur de cette femme, lorsqu'elle est dans un espace restreint, peut être retracée jusqu'à plus de deux cent ans. Un de ses ancêtres, possiblement du côté de sa mère, possédait une maison et une terre à la campagne. Cet homme était de bon caractère, à sa façon. Mais il semble que pendant les temps troublés, un groupe d'hommes sauvages (soient des locataires ou des gens qui venaient des collines) arrivèrent

119

soudainement chez cet homme, une nuit, et mirent le feu à la maison. L'épouse du propriétaire de la maison était dans les premiers mois d'une grossesse. Elle réussit à s'échapper avec beaucoup de difficultés. En effet, elle était dans une petite pièce qui se remplit rapidement de fumée. Elle fut réveillée par une odeur de brûlé et par les cris des terroristes. Épouvantée, elle s'aperçut que la fumée envahissant la chambre devenait de plus en plus épaisse. Elle se leva et essaya de trouver la porte. De grandes vagues de fumée pénétrèrent à l'intérieur. Suffoquant presque, elle se débattit jusqu'au seuil où elle s'évanouit sur le plancher.

«Son mari, au risque de sa vie, lui porta secours, et au bout de quelques minutes, elle se ranima dans l'air froid de la nuit. Mais elle attrapa une pneumonie due à l'exposition au froid de cette nuit-là, et pendant son délire, elle continua à voir les images de cette chambre remplie de fumée et revécut encore et encore dans sa fièvre le supplice terrifiant connu pendant ces quelques minutes. Puis elle se rétablit mais la crainte d'être enfermée et prise dans une petite pièce fut transmise, pendant cette période de maladie, à l'enfant qu'elle portait.

«L'expérience de ce feu devint une partie de la mémoire de la race de cette famille. Lorsque l'incident de la maison brûlée dans cette campagne isolée fut oublié consciemment par les descendants de cette malheureuse femme, il resta bien marqué dans les souvenirs gravés dans le subconscient de la race. Quelques membres de la famille ne furent pas affectés par cela, d'autres moins robustes développèrent certaines faiblesses de type nerveux.

«Physiquement, la patiente dont j'analyse l'écriture est encore plutôt épuisée. Elle doit aller en plein air, faire beaucoup d'exercices et trouver un intérêt ou des intérêts à caractère absorbant.

«Puisque cela est survenu il y a si longtemps et n'a pas été renforcé par d'autres chocs terribles semblables chez ses ancêtres directs, ce n'est pas un trait prononcé. Cela n'a donc pas une grande influence. Elle devrait dire à haute voix le soir avant de s'endormir: *Mon esprit règle mon corps. Rien ne peut me faire peur. Je suis en paix et heureuse dans n'importe quelle petite pièce ou espace restreint.*

«La cause originale de sa peur, ce choc que reçut une ancêtre lorsqu'elle était dans une condition délicate, n'a pas de puissance sur la patiente lorsqu'elle est physiquement en forme et qu'elle a quelques occupations intéressantes et absorbantes pour son esprit.

«Essayez aussi d'inculquer à mademoiselle J. plus de confiance, plus d'assurance en elle-même. Elle manque trop de confiance en elle et ne fait pas confiance à ses forces.

«Laissez-la essayer de s'affirmer et de croire en elle-même car elle est remplie de capacités et elle possède une intelligence intérieure. Mais le manque de confiance, faisant clairement défaut en elle, entrave grandement sa vie.

«Ne racontez pas à la patiente ce qui suit. Il y a décidément une hérédité instable; la guérison prendra probablement un peu de temps et son médecin devra la surveiller et être prudent, de peur que des symptômes nerveux d'un autre caractère surviennent. D'un autre côté, si elle est fidèle à suivre les directives de son médecin, l'hérédité devrait être vaincue.»

## LA PERCEPTION EXTRA-SENSORIELLE MANIFESTÉE EN CLAIRAUDIENCE

Un médecin de mes amis m'a raconté qu'invariablement, lorsqu'elle a une décision importante à prendre, elle entend distinctement une voix intérieure à laquelle elle obéit implicitement. Elle affirme que c'est une voix orale subconsciente qu'elle entend clairement, que ce soit à son bureau ou en compagnie d'amis. Personne d'autre n'entend la voix; donc, sans aucun doute, c'est une impulsion subliminale répondant à sa foi profonde en la direction intérieure. Cette voix intérieure dit *Oui* lorsqu'elle donne son approbation et *Non* lorsqu'elle désapprouve.

Elle dit que la voix intérieure est toujours juste. Ce médecin, dans une période de temps donné, a conditionné son esprit à croire que Dieu la guide dans tous les domaines. Maintenant, elle connaît la réplique automatique de son esprit profond lorsqu'elle a besoin d'une réponse.

### La clairaudience dans l'histoire

Socrate admit ouvertement qu'il était dirigé et guidé constamment par son *démon* qu'il qualifiait de voix intérieure, d'avertissement auquel il était attentif et obéissant. Cette voix intérieure lui disait ce qu'il devait éviter et lorsqu'elle ne lui parlait pas, il considérait son silence comme un consentement tacite. Dans les *Dialogues* de Platon, nous lisons que son *démon,* ou sa voix intuitive, donne à Socrate une connaissance extraordinaire couvrant ses cinq sens.

Un autre exemple frappant de la clairaudience est celui de Jeanne d'Arc, la remarquable héroïne visionnaire de France. L'histoire nous raconte qu'elle se fiait entièrement aux messages directs ou aux *voix* de son subconscient. D'extraordinaires historiens ont examiné en détail ses exploits à travers les siècles. La conclusion de plusieurs parapsychologues et autres est qu'elle était, sans aucun doute, clairvoyante et clairaudiente.

Un remarquable exemple de ses puissances de clairvoyance fut démontré lorsqu'elle était une jeune fille vivant à Domrémy. Elle fit connaître publiquement qu'il y avait une épée enfouie derrière l'autel de l'église Sainte-Catherine, à Fierbois. Elle n'avait jamais vu l'église. Un homme creusa le sol près de l'autel et trouva l'épée exactement comme elle l'avait annoncé.

## COMMENT LES PUISSANCES DE LA PERCEPTION EXTRA-SENSORIELLE TROUVÈRENT UN REÇU ÉGARÉ

Il y a quelques semaines, un homme me téléphona de la Nouvelle-Orléans, en Louisiane, et me dit qu'il était absolument certain que son épouse, avant sa mort, avait payé $2 500 comptants pour une montre en platine qui était le cadeau qu'elle devait lui offrir à leur cinquantième anniversaire de mariage, puisqu'elle lui en avait montré le reçu. On lui en demandait maintenant le paiement. Il insista auprès du joaillier, disant que sa femme l'avait payée et qu'elle avait le reçu. Le joaillier était inflexible. Il affirmait que la montre n'était pas payée et lui montra l'entrée dans son livre.

L'homme chercha partout chez lui, mais il ne trouva pas le reçu. Il me dit: «Pouvez-vous m'aider? J'ai lu votre livre, *The Power of Your Subconscious Mind,* et j'ai trouvé le passage où un testament fut découvert grâce à la puissance du subconscient.»

Je lui répondis que je demanderais à l'*Intelligence infinie* en lui de lui révéler la réponse et de le conduire vers celle-ci. Je lui suggérai aussi d'affirmer vigoureusement et de croire que l'*Intelligence infinie* sait toutes choses, sait où est le reçu et qu'elle le lui révèle dans l'Ordre divin.

Une semaine plus tard, il m'écrivit et me raconta que pendant qu'il dormait, un personnage ressemblant à un ancien sage lui apparut et lui indiqua une certaine page dans le livre d'Isaïe. Il y vit clairement le reçu. Il se réveilla soudainement et alla vite à sa bibliothèque. Il ouvrit la Bible à la page qu'il avait vue dans son rêve et y trouva le reçu. Son subconscient infini lui fournit la réponse que la puissance de son conscient transcendait.

## COMMENT LAISSER LA PERCEPTION EXTRA-SENSORIELLE FONCTIONNER POUR VOUS

Vous connaissez la sagesse de ce proverbe: *la nuit porte conseil.* Ceci signifie que lorsque votre conscient est immobilisé et que vous centrez votre attention sur la solution ou la réponse que vous recherchez, l'esprit profond, rempli de sagesse, de puissance et l'*Intelligence infinie*, vous répondra et résoudra votre problème.

Si vous avez perdu quelque chose et que vous avez cherché partout, cessez de vous tourmenter et de vous tracasser à son sujet, détendez-vous, laissez-vous aller, remettez votre requête à votre subconscient et parlez-lui comme suit: «L'*Intelligence infinie* de mon subconscient sait toutes choses. Elle sait où est la chose que je cherche et elle me le révèle clairement et distinctement. Je suis divinement conduit vers elle. J'ai implicitement confiance en mon esprit profond. Je laisse aller et je me relaxe.

Lorsque vous vous détendrez, que vous vous laisserez aller, que vous vous détacherez, que vous vous préoccuperez d'autre chose, les facultés de perception extra-sensorielle de votre subconscient vous mèneront directement à l'objet perdu. Vous pouvez le voir par la clairvoyance dans un rêve ou être guidé directement vers l'endroit où il se trouve.

Il est écrit: ... *Yahvé... comble son bien-aimé qui dort* (Ps. 127;2).

## POINTS À RETENIR

1. Nous possédons tous les puissances de la perception extra-sensorielle mais chez plusieurs personnes, ces puissances sont refoulées et inhibées. À travers les années, elles se sont atrophiées par notre négligence.

2. Plusieurs personnes obtiennent des renseignements et des informations grâce à la perception extra-sensorielle qu'ils ne pourraient possiblement pas recevoir par leur cinq sens.

3. Votre subconscient connaît déjà le gagnant d'un concours ou d'une course et peut vous le révéler.

4. Le professeur Rhine de l'Université de Duke a rassemblé une quantité importante de renseignements sur la télépathie, la clairvoyance, la clairaudience, la préconnaissance, la rétro-connaissance et la télékinésie, prouvant la puissance paranormale de l'esprit.

5. Les facultés de la perception extra-sensorielle chez certains jeunes enfants les rendent capables de voir un cortège funèbre et les gens qui le composent avant qu'aient lieu les funérailles. Ceci pourrait être une communication télépathique de l'être aimé à l'enfant, et la faculté précognitive en fonction chez ce dernier.

6. Emmanuel Swedenborg eut une vision clairvoyante réelle d'un feu faisant rage à Stockholm alors qu'il était complètement éveillé et qu'il conversait avec un groupe de scientifiques à Göteborg, à 400 kilomètres de distance de Stockholm.

7. Vous pouvez, à travers la perception extra-sensorielle, sentir intuitivement ce qui ne va pas chez une personne, vous rendant ainsi capable de l'aider à prendre une décision vers une action juste.

8. Une extraordinaire parapsychologue irlandaise peut toucher la lettre ou la plume d'un malade qui lui est remise par le médecin de celui-ci et révéler précisément les complexes et les peurs cachés derrière le problème du patient, grâce à la perception extra-sensorielle développée à un très haut degré.

9. Plusieurs personnes ont développé la faculté de perception extra-sensorielle de la clairaudience par laquelle ils entendent une voix intérieure annonçant l'approbation ou la désapprobation de leurs décisions. La voix vient de l'*Intelligence suprême* en chacun de nous, et elle agit toujours pour le bien-être de l'homme.

10. Votre faculté de perception extra-sensorielle peut vous révéler l'endroit où se trouve un article que vous cherchez; elle peut dramatiser la réponse dans un rêve et vous montrer exactement où est caché l'article; ou vous pouvez entendre une voix pendant votre sommeil vous disant d'aller à quelque endroit ou de faire quelque chose pour le trouver.

11. Vous pouvez développer vos facultés de perception extra-sensorielle et croître en sagesse de jour en jour en transmettant ces idées à votre subconscient (le siège de toute perception extra-sensorielle).

# 9

# Comment la puissance secrète de la maîtrise de soi donne de fabuleux dividendes

Dans le onzième chapitre de Marc, au 23e verset, nous pouvons lire: *En vérité je vous le dis, si quelqu'un dit à cette montagne: «Soulève-toi et jette-toi dans la mer», et s'il n'hésite pas dans son coeur, mais croit que ce qu'il dit va arriver, cela lui sera accordé.*

La vérité de ces paroles ne vous laissera jamais tomber mais vous procurera une vie parfaite par la *Puissance infinie*. La montagne dont parle la Bible signifie les difficultés, les défis et les problèmes que vous confrontez. Ils peuvent sembler très accablants et écrasants mais si vous croyez en la *Puissance infinie* et ne doutez pas d'elle, vous affirmerez vigoureusement la prière suivante:

*Disparais. Je surmonterai ce défi par la Puissance infinie. Ce problème est divinement surpassé. Je vais le combattre courageusement, sachant que toute la puissance, la sagesse et l'énergie nécessaires me seront données. Je crois sans contredit que Dieu connaît la réponse et je ne fais qu'un avec Dieu. Dieu me révèle la sortie, la conclusion heureuse. Je marche dans cette affirmation et ce faisant, je sais que la montagne disparaîtra, sera hors de vue, dissoute dans la Lumière de l'Amour de Dieu. Je crois ceci; je l'accepte de tout coeur; il en est ainsi.*

## COMMENT UNE JEUNE FEMME DÉCOURAGÉE
## DÉVELOPPA LA MAÎTRISE DE SOI

Il y a quelques années, alors que je donnais des conférences à Honolulu, une jeune Japonaise découragée et dépressive vint me parler. Elle n'avait que trente ans et avait subi de graves interventions chirurgicales, incluant une mastectomie et une hystérectomie. Elle me dit: «Je ne suis plus une femme. Je ne peux pas avoir d'enfant et personne ne veut de moi.» Citant Emerson, je lui dis: «Vous êtes un organe de Dieu et Dieu a besoin de vous là où vous êtes, autrement vous ne seriez pas là.»

Je lui fis remarquer que, dans la vie, nous rencontrons le découragement et les déceptions et qu'il n'y a pas de contradiction au fait que les épreuves et les difficultés se présentent à nous tous; mais nous avons une *Puissance infinie* en nous qui nous donne du pouvoir sur le découragement et la dépression et notre joie est de surmonter et de maîtriser toute situation.

J'ai alors convaincu cette jeune femme de donner ses talents, son amour, sa bonté et ses aptitudes aux autres de tout son coeur, puisque c'était la façon la plus rapide au monde de surmonter sa dépression. De cette manière, elle se débarrasserait du repliement, de l'apitoiement et de l'auto-condamnation. Puisqu'elle était infirmière, je lui suggérai de retourner travailler et de se dévouer afin de donner un meilleur service aux autres, déversant l'*Amour guérisseur* de Dieu sur tous ses patients et donnant son Moi divin aux autres. Je lui rappelai qu'une personne centrée sur elle-même est rarement heureuse et que le secret d'une vie remplie est de donner plus de vivacité, d'amour, de joie et de bonheur aux autres.

Je lui conseillai aussi de lire le psaume 42 à haute voix plusieurs fois par jour, en savourant chaque parole comme s'il s'agissait d'une délicieuse nourriture. J'ajoutai que je ne parlais pas de marmonner des mots ou des affirmations stériles mais que je voulais qu'elle ressente les vérités magnifiques contenues dans le texte, établissant ainsi un sentiment profond d'unité avec Dieu grâce auquel son esprit et son coeur se transformeraient par la puissance infinie en elle.

### Comment elle mit en pratique la présence de Dieu

Elle suivit ma suggestion et retourna travailler, déversant la grâce, l'amour et l'encouragement à tous ses patients et leur parlant de la puissance infinie de Dieu de guérir et d'allumer leur foi. Elle m'écrivit pour me dire qu'en deux ans, elle n'avait jamais perdu un patient par la mort. Elle prie pour chaque patient sous ses soins, affirmant: «Dieu est la *Vie* et *sa Vie, son Amour* et *sa Puissance* se manifestent maintenant chez monsieur ou madame_____.» Voilà sa prière constante pour ceux qui sont sous ses soins. Ceci est la pratique de de la présence de Dieu parce qu'elle est la pratique constante de l'harmonie, de la santé, de la paix, de la joie, de l'amour et de l'intégrité pour chaque personne.

### Sa victoire triomphante

Un jour de Noël, j'eus la joie de célébrer chez moi la cérémonie unissant par les liens du mariage cette infirmière et le médecin qui l'avait opérée. Après la cérémonie, son mari dit: «Elle est plus qu'une infirmière. Elle est un ange de miséricorde.» Il avait vu le rayonnement et la beauté de son âme. Emerson écrivit: «Les bagues et les bijoux ne sont pas des cadeaux. Le seul cadeau est une partie de toi-même.»

Voici le psaume 42 qui favorise le don de Dieu:

Comme languit une biche après l'eau vive,
ainsi languit mon âme vers toi, mon Dieu.
Mon âme a soif de Dieu, du Dieu de vie;
quand irai-je voir la face de Dieu?
Je n'ai de pain que mes larmes, la nuit, le jour,
moi qui tout le jour entends dire: Où est ton Dieu?
Je me souviens, et mon âme en moi s'épanche,
je vais vers la Tente admirable, jusqu'à la maison de
Dieu,
parmi les cris de liesse et de louange et la foule jubilante.

Qu'as-tu, mon âme, à défaillir, que gémis-tu sur moi?
Espère en Dieu: je le louerai encore le salut de ma face et
mon Dieu!

Mon âme vient-elle à défaillir, je songe à toi
des pays du Jourdain et de l'Hermon, à toi, humble
montagne.

L'abîme appelant l'abîme au fracas de tes écluses,
la masse de tes flots et de tes vagues a passé sur moi.

Le jour, puisse Yahvé mander sa grâce,
et la nuit, que son chant avec moi prie le Dieu de ma vie!

Je veux dire à Dieu mon Rocher: Pourquoi m'oublier?
Pourquoi m'en irais-je en deuil, accablé par l'ennemi?

Jusqu'à me rompre les os, mes oppresseurs m'insultent
en me redisant tout le jour: Où est ton Dieu?

Qu'as-tu, mon âme, à défaillir, que gémis-tu sur moi?
Espère en Dieu: je le louerai encore le salut de ma face et
mon Dieu!

*Juge-moi, défends ma cause contre des gens sans merci:*
*de l'homme perfide et pervers, Dieu, délivre-moi.*

*C'est toi le Dieu de mon refuge: pourquoi me rejeter?*
*Pourquoi m'en irais-je en deuil, accablé par l'ennemi?*

*Envoie ta lumière et ta vérité: qu'elles soient mon guide*
*et me ramènent vers ta montagne sainte, vers tes*
*Demeures.*

*Et j'irai à l'autel de Dieu, au Dieu de ma joie.*
*J'exulterai, je te louerai sur la harpe, Yahvé mon Dieu.*

*Qu'as-tu, mon âme, à défaillir, que gémis-tu sur moi?*
*Espère en Dieu: je le louerai encore le salut de ma face et*
*mon Dieu!*

## COMMENT APPLIQUER LA MAÎTRISE DE SOI DANS VOTRE VIE POUR DES BIENFAITS PLUS RICHES

Il y a quelques temps, j'interviewais une femme qui avait été hospitalisée pendant environ deux mois, souffrant de ce qu'elle appelait une dépression nerveuse et des ulcères saignants. Son problème était strictement émotionnel. Elle dit que son mari était bizarre: il lui donnait quarante dollars par semaine pour l'entretien de la maison et pour acheter la nourriture pour deux enfants et il se demandait ensuite où tout l'argent était passé. Il ne lui permettait pas d'aller à l'église parce qu'il pensait que toutes les religions étaient frauduleuses. Elle aimait jouer de la musique mais il refusait qu'elle ait un piano à la maison.

Elle se pliait à ses idées déformées, tordues, morbides, refoulant ainsi ses propres désirs, ses talents et ses capacités intérieures. Elle avait un profond ressentiment envers son mari et sa rage réprimée et sa frustration occasionnaient son effondrement nerveux et ses ulcères. Cet homme détruisait émotivement son épouse par son opposition stupide et égoïste à ce qu'elle pensait et ce qu'elle valorisait dans la vie.

## Comment l'explication devint la guérison

J'expliquai à cette femme talentueuse que le mariage n'était pas un permis pour malmener, intimider et étouffer les aspirations et la personnalité de l'autre. Je lui fis remarquer que dans le mariage, il doit y avoir l'amour mutuel, la liberté et le respect et qu'elle devait cesser d'être timide, dépendante, craintive et soumise. Elle devait mûrir psychologiquement et spirituellement et cesser de taire sa personnalité.

En parlant au mari et à la femme, je suggérai que chacun cesse d'être à l'affût des défauts, des manques et des points faibles de l'autre, et de commencer à voir plutôt le bon côté dans chacun et les merveilleuses qualités qu'ils avaient admirées chez l'autre lorsqu'ils s'étaient mariés. Le mari s'aperçut rapidement que le ressentiment et la rage refoulés de sa femme étaient la cause de ses dépressions nerveuses et de son hospitalisation. Ils convinrent d'un plan ou l'épouse pouvait s'exprimer musicalement et socialement. Ils acceptèrent aussi d'ouvrir un compte de banque conjoint basé sur l'amour, la confiance et la foi mutuels.

Voici le modèle de prière que je conseillai au mari:

*À partir de maintenant, je vais cesser d'essayer de changer la personnalité de mon épouse. Je ne veux pas que mon épouse soit une seconde édition de moi-même, pas plus que je ne veux noyer ses talents ou sa personnalité. J'irradie l'amour, la paix et la bonne volonté envers elle. Ma prière sincère est que l'Intelligence infinie en elle la gouverne, la guide et la dirige dans tous les domaines et* que l'*Amour divin circule à travers son esprit et son corps en tout temps. La paix de Dieu inonde constamment son esprit. J'exalte Dieu en elle. J'affirme qu'elle est heureuse, joyeuse, en santé et qu'elle s'exprime divinement. Je sais que ma pensée est ma prière et que mes pensées s'exécutent d'elles-mêmes. Je sais aussi que la prière est une habitude et en prenant l'habitude de penser en ces termes, je deviendrai un mari aimant, bon et compréhensif. Lorsque je pense à mon épouse, j'affirme silencieusement: «Dieu t'aime et Il prend soin de toi.»*

Le modèle de prière à suivre pour l'épouse:

*J'ai vu de merveilleuses qualités chez mon mari lorsque je l'ai épousé. Ces qualités sont toujours là et à partir de maintenant, je vais l'identifier à ses belles qualités et non pas à ses défauts. Je sais, je sens et j'affirme que l'Intelligence infinie le mène, le guide et le dirige dans tous les domaines. J'exalte Dieu en lui régulièrement et systématiquement. La Loi et l'Ordre divins gouvernent ses activités. La Paix divine remplit son âme. L'Amour divin circule à travers ses pensées, ses paroles et ses gestes envers moi et les enfants. Dieu l'aime et prend soin de lui. Il est rempli de succès et Dieu prospère en lui. Il est inspiré du Très-Haut. Je sais que lorsque je réitère ces pensées régulièrement et systématiquement, elles trouvent leur chemin vers mon subconscient; et comme des graines, elles s'engendrent selon leurs espèces. Lorsque je pense à mon mari, j'affirme immédiatement: «Dieu en moi salue le Dieu en toi.»*

## COMMENT LA PERSÉVÉRANCE APPORTE DES DIVIDENDES ET LA MAÎTRISE DE SOI

Les deux, le mari et l'épouse, restèrent fidèles à leur accord et à la prière de vie. Ils savaient que croire en quelque chose, c'est l'amener à se réaliser. En vieil anglais, le mot croire (be alive) signifie *être vivant* ou *vivre dans l'état d'être,* ce qui veut dire le rendre réel dans votre vie. Au bout d'environ un mois, je reçus un téléphone de l'épouse qui disait: «J'ai cru à ces vérités que vous m'aviez écrites. Elles sont enregistrées dans mon coeur (subconscient).» Le mari ajouta: «Mon épouse et moi sommes maintenant maîtres de nos pensées, de nos émotions et de nos actions. La maîtrise de soi est réelle dans nos vies.» Ils découvrirent que la *Puissance infinie* pour la vie parfaite était toujours présente en eux.

## COMMENT UN JEUNE HOMME DÉCOURAGÉ ACQUIT L'ESTIME DE LUI-MÊME ET LA RECONNAISSANCE

Un jeune homme se plaignit à moi qu'on faisait peu de cas de lui dans les réunions sociales et qu'il était aussi ignoré en matière de promotion dans son organisation. Il ajouta qu'il recevait fréquemment chez lui mais qu'il n'était jamais invité chez ses associés et chez d'autres personnes qu'il avait invitées. Il avait une rancune profonde et violente dans son coeur envers chacun.

Pendant que ce jeune homme bien éduqué me parlait et pendant que nous discutions de son enfance et de son environnement immédiat, il m'informa qu'il avait été élevé par un père puritain de la Nouvelle-Angleterre. Sa mère était morte à sa naissance. Son père, qui était en quelque sorte tyrannique, disait fréquemment à son fils: «Tu n'es bon à rien. Tu n'arriveras jamais à rien de bien. Tu es stupide. Pourquoi n'es-tu pas aussi intelligent que ton frère? J'ai honte de tes notes scolaires.» Je découvris que cet homme haïssait véritablement son père. Il avait grandi avec un complexe de rejet et il se sentait inconsciemment inacceptable pour les gens. Pour utiliser une expression vulgaire, il avait un *abcès physique* et il était terriblement susceptible dans le domaine des relations humaines. Ceci était accompagné par une attente et une peur subjectives d'être rejeté par les autres, que ce soit par un affront grossier ou par une froide indifférence.

## Comment ses complexes négatifs furent éliminés

Je lui fis remarquer qu'à mon avis, il avait constamment peur des affronts et du rejet; de plus, il projetait son animosité et son ressentiment pour son père sur les autres. Forcément, il voulait être dénigré, rejeté ou écarté par la façon d'agir, l'attitude, le commentaire de quelqu'un ou par ce qui semblait être un plus grand intérêt pour les autres. Je lui expliquai la loi de son esprit et je lui donnai une copie du livre *The Power of Your Subconscious Mind*. Entre-temps, je lui donnai un plan très pratique pour surmonter son complexe de rejet et assumer la maîtrise de sa vie.

## Le plan pratique étape par étape

*La première étape* pour résoudre un problème de ce genre, c'est de réaliser que peu importe ce que furent les expériences passées, elles peuvent être complètement effacées en nourissant le subconscient des vérités éternelles et des modèles de pensées vivifiantes. Puisque le subconscient est soumis à la suggestion et qu'il est contrôlé par le conscient, tous les modèles négatifs, les complexes, les peurs et les infériorités peuvent être effacés. Voici des affirmations revitalisantes:

*Je reconnais que ces vérités sont réelles. Je suis fils du Dieu vivant. Dieu habite en moi et il est mon véritable moi. Dorénavant, j'aimerai Dieu en moi. L'aimer signifie l'honorer, le respecter, donner allégeance et loyauté à l'unique Présence et à l'unique Puissance. Dorénavant, je respecte la divinité qui donne forme à mes buts. Cette Présence de Dieu en moi m'a créé, me soutient et Elle est mon Principe de Vie. La Bible dit: Tu aimeras ton prochain comme toi-même (Lévitique 19;18). Le prochain est ce qui est plus proche de moi, ou Dieu est plus près que le souffle; plus près que les mains et les pieds. À chaque moment conscient de la journée, j'honore, j'exalte, je glorifie et je respecte grandement et sainement la Présence divine en moi. Je sais qu'en l'exaltant, j'ai un respect sain et entier pour Dieu lui-même en moi. Je respecterai et j'aimerai automatiquement Dieu dans l'autre. Lorsque je suis porté à me critiquer ou à me prendre en défaut, j'affirme immédiatement: «J'honore, j'aime et j'exalte la Présence de Dieu en moi, et j'aime mon Moi de plus en plus chaque jour.» Je sais que je ne peux pas aimer et respecter les autres avant d'aimer, d'honorer, de respecter et d'être loyal et dévoué à mon Moi réel, Dieu en moi, qui est un formidable guérisseur. Honorant Dieu en moi, j'honorerai la Dignité et la Royauté divines de tous les hommes. Je sais que ces vérités répétées sincèrement, sciemment et avec foi entrent dans mon subconscient; et je suis subconsciemment contraint d'exprimer ces vérités puisque la nature de mon subconscient est la contrainte. Tout ce qui y est imprimé, je suis contraint de l'exprimer. Je crois ceci implicitement. C'est merveilleux.»*

**La deuxième étape** est de réitérer ces vérités fréquemment, trois ou quatre fois par jour, à des périodes régulières, dans le but d'établir une habitude de pensée constructive.

**La troisième étape** est de ne jamais vous condamner, vous diminuer ou vous démolir. Au moment où une pensée telle que: «Je ne suis pas bon», «Un mauvais sort m'accable», «Personne ne veut de moi», ou «Je ne suis rien», je renverse immédiatement cette pensée en disant: [«J'exalte Dieu en moi.»]

*La quatrième étape* est de vous imaginer vous mêlant à vos associés d'une manière amicale, aimable et affable. Imaginez et entendez vos supérieurs vous félicitant pour un travail bien fait. Imaginez que vous êtes bienvenu et accepté de bonne grâce chez vos amis. Par-dessus tout, croyez en votre image et en sa réalité.

*La cinquième étape* est de réaliser et de savoir que tout ce que vous pensez de façon habituelle et ce que vous imaginez doit se réaliser puisque tout ce qui est imprimé dans votre subconscient doit être exprimé sur l'écran de l'espace comme des expériences, des conditions et des événements.

Ce jeune homme suivit diligemment la procédure ci-dessus, sachant ce qu'il faisait et pourquoi il le faisait. Connaissant la façon dont son subconscient travaillait, il acquit quotidienne-ment de la confiance par l'application de cette technique. Graduellement, il réussit à nettoyer son subconscient de tous les traumatismes psychiques antérieurs. Il est maintenant bienvenu chez ses associés et, éventuellement, il fut invité par le président et le vice-président de son organisation. Depuis qu'il a adopté ces méthodes psychologiques, il a reçu deux promotions et il est maintenant vice-président exécutif de sa banque. Il sait que l'application de la puissance cosmique en lui apporte la maîtrise de soi sur le passé ou sur les conditions, les expériences et les événements. Il vous est fait selon ce que vous croyez.

## COMMENT UNE SITUATION CONJUGALE MALHEUREUSE FUT SURMONTÉE

Voici une lettre que j'ai reçue d'une femme du Texas.

*Cher docteur Murphy, j'ai lu votre livre* The Cosmic Power Within You *(la puissance cosmique en vous) qui m'a grandement aidé. J'aimerais votre conseil au sujet de mon problème. Mon mari me critique constamment en utilisant un langage injurieux, sarcastique et grossier. Son exagération fait qu'il m'est impossible de croire ce qu'il dit. Il dort dans une chambre séparée et nous n'avons aucune intimité conjugale. Quelque genre de travail communautaire que je fasse, il trouve à redire. Au cours des cinq dernières années, nous n'avons pas reçu d'invités à la maison. Je ressens de l'aversion envers mon mari. J'ai peur de commencer à le haïr. Je l'ai quitté deux fois. Nous avons demandé des conseils spirituels, psychologiques et légaux. Je suis incapable de communiquer avec lui. Que dois-je faire?*

Voici ma réponse:

*Chère          , vous ne pouvez pas vous permettre d'avoir du ressentiment ou de la haine pour qui que ce soit dans le monde. De tels sentiments ou attitudes sont des poisons mentaux qui affaiblissent votre mentalité tout entière, vous volent la paix, l'harmonie, la santé et le bon jugement. Ils rongent votre âme et vous épuisent physiquement et mentalement. Vous êtes la seule à penser dans votre univers, vous êtes la seule responsable de ce que vous pensez de votre mari, il ne l'est pas. Je vous suggère de ne plus essayer de communiquer avec lui et de le confier entièrement à Dieu. Il est mal de vivre dans le mensonge. Il est préférable de briser un mensonge plutôt que de vivre avec. Il y a des moments dans notre expérience où, ayant fait notre possible pour résoudre un problème, nous devrions suivre la recommandation de Paul. Ayant tout accompli, je repose, i.e. vous reposez sur la Sagesse cosmique en vous pour résoudre le problème. Vous avez consulté des psychologues, des avocats et des pasteurs, évidemment dans un esprit de bonne volonté, pour obtenir la guérison; mais il n'y a pas de solution en vue. Tournez votre esprit vers des recherches constructives et adoptez une nouvelle attitude envers votre mari, telle que: «Aucune de ces paroles ne me blesse.»*

*Voici un modèle de prière qui vous apportera de bons résultats puisque la Puissance cosmique ne fait jamais défaut:*

*Je confie mon mari à Dieu. Dieu l'a créé et le soutient. Dieu lui révèle sa vraie place dans la vie où il est divinement heureux et divinement béni. La Sagesse cosmique lui révèle le plan parfait et lui montre le chemin qu'il doit prendre. La Puissance cosmique circule en lui comme l'amour, la paix, l'harmonie, la joie et l'action juste. Je suis divinement guidée à poser le bon geste et à prendre la bonne décision. Je sais que l'action juste pour moi est l'action juste pour mon mari; je sais aussi que ce qui bénit l'un bénit tous. Lorsque je pense à mon mari, sans considérer ce qu'il dit ou ce qu'il fait, j'affirme sciemment et sincèrement:* Je t'ai confié à Dieu. *Je suis en paix à tout propos et je souhaite tous les bienfaits de la vie à mon mari.*

Je lui recommandai de se bâtir une vie constructive pour elle-même, d'exprimer ses talents et de continuer ses projets communautaires. Je lui conseillai de rester fidèle à la prière spéciale, lui expliquant que ces pensées de Dieu nettoieraient son subconscient de tout ressentiment et de tout autre poison négatif et destructif logé dans son esprit profond. Ceci agirait de la même façon que l'eau qui tombe goutte à goutte dans un seau d'eau sale. Après un certain temps, l'eau sale sera remplacée par l'eau propre. Vous pouvez, bien sûr, tourner le boyau vers le seau d'eau sale et obtenir de l'eau propre plus rapidement. Le boyau, figurativement parlant, serait une transfusion d'Amour divin et de bonne volonté dans l'âme, apportant un nettoyage immédiat. Cependant, la procédure habituelle est le nettoyage graduel.

**Un dénouement intéressant**

La suite du processus de prière décrit ci-dessus est intéressante, comme le révèle la lettre suivante:

*Cher docteur Murphy, je suis profondément reconnaissante pour votre lettre, votre conseil et la méthode de prière que j'ai suivie fidèlement. Lorsque mon mari devenait sarcastique et déversait des jurons et des insultes, je le bénissais en affirmant silencieusement: «Je te confie à Dieu.» Je me suis intéressée au travail à l'hôpital et aux activités communautaires et puis je me suis fait des amis dans les six dernières semaines, depuis que j'ai commencé à prier. Mon mari m'a demandé le divorce la semaine passée, ce à quoi j'ai consenti avec plaisir. Nous avons déjà conclu un arrangement satisfaisant pour la propriété. Il va à Reno pour obtenir le divorce et projette d'épouser une femme qui, je pense, s'harmonise bien à lui. Je suis aussi amoureuse d'un ami d'enfance que j'ai rencontré à mon travail à l'hôpital. Nous allons nous marier aussitôt que je serai libre légalement.*

Vraiment, Dieu accomplit des merveilles de façon mystérieuse.

POINTS À RETENIR

1. Réalisez que chaque problème est divinement vaincu. La *Puissance cosmique* sait tout et voit tout ce qui est en vous. Attaquez-vous courageusement à votre défi et la

*Sagesse cosmique* vous révélera la réponse. La montagne (l'obstacle) disparaîtra dans la mer (dissoute, effacée de la vue).

2. La façon la plus rapide et la plus sûre de surmonter la dépression et le découragement est de dispenser de tout coeur aux autres, vos talents, votre amour, votre bonté et votre considération. Posez certains gestes de bonté envers quelqu'un, visitez un malade à l'hôpital, exaltez Dieu pour un ami malade et donnez à l'autre personne une transfusion de bonté aimante.

3. Un merveilleux antidote spirituel à la dépression et au repliement sur soi est de méditer les vérités du psaume 42. Ce psaume vous élèvera et vous inspirera.

4. La pratique de la *Présence* de Dieu est la réalisation constante de la présence de la paix, de l'harmonie, de la joie, de l'intégrité, de la beauté, de l'illumination, de l'amour et de la bonne volonté de Dieu en vous et en votre prochain.

5. Les maris et les épouses devraient s'arrêter sur les qualités de chacun d'eux et sur les caractéristiques qu'ils aimaient chez l'autre lorsqu'ils se marièrent. En voyant Dieu dans l'autre et en exaltant *sa Présence* en chacun, l'harmonie prévaudra et le mariage s'ennoblira avec les années.

6. Les maris ne devraient pas étouffer la personnalité de leur épouse, et les épouses devraient cesser d'essayer de parfaire leur conjoint. Chacun est unique. Une personne dont la personnalité est réprimée devient névrosée et frustrée. Chacun devrait se réjouir de l'expression complète des talents de l'autre.

141

7. La persévérance rapporte de grands dividendes. Restez fidèle à votre processus de prière. Croire, c'est être éveillé à certaines grandes vérités éternelles. Faites-en une partie vivante de vous-même, croyez-y et il vous sera fait selon votre foi.

8. Lorsqu'un homme se sent constamment mis de côté et rejeté, ceci est invariablement causé par un *abcès* psychique en lui par lequel il s'attend à être rejeté et repoussé. Le remède, c'est d'exalter constamment la *Présence de Dieu* en lui, son vrai Moi, et de remplir son subconscient des vérités de Dieu qui repoussent de son esprit tout ce qui ne ressemble pas à Dieu ou à la vérité.

9. Lorsque vous avez honnêtement essayé toutes les façons concevables de résoudre un problème, lorsque vous avez recherché le conseil et l'avis des experts sur les plans spirituel et psychologique et que vous avez des motifs valables, alors, comme le suggère Paul: *Ayant tout accompli, je repose.* Insistez fermement sur la vérité que la Puissance cosmique en vous connaît la réponse et vous révélera la solution parfaite en remettant complètement l'affaire à Dieu, sachant et croyant dans votre coeur que la réponse viendra. Alors, au lever du jour, les ombres s'évanouiront.

# 10

# Comment utiliser la puissance infinie pour une vie comblée

Le jour de l'Action de Grâces, je m'envolai vers l'île de Kauai pour me mêler aux gens, pour visiter les différentes villes et les endroits pittoresques et, par-dessus tout, pour faire la connaissance de quelques natifs hawaïens. Je rencontrai un guide qui me présenta à plusieurs de ses amis et qui m'emmena dans plusieurs maisons de l'île pour me montrer leur façon de vivre. Je constatai que dans les maisons que je visitai, les gens sont très heureux, joyeux et libres. Ils sont bons, généreux, profondément spirituels et remplis de la musique et du rire de Dieu. Je me suis retrouvé face à des gens qui, à travers l'Amour de Dieu, vivent une vie glorieuse dans l'esprit de la *Liberté divine*. Dans les pages suivantes, je vais vous entretenir de ce que vous pouvez faire pour vous bâtir une vie victorieuse.

## COMMENT UN MODÈLE DE VIE TRIOMPHANTE FUT TROUVÉ

En faisant quelques achats dans un village éloigné, j'eus une intéressante conversation avec un homme qui était venu du continent quelques années auparavant et qui gérait un magasin général. Il me dit qu'il avait été alcoolique. Sa femme l'avait quitté et avait pris tout leur argent (ils avaient un compte conjoint). Il était devenu amer, irritable et rempli de haine et avait éprouvé beaucoup de difficultés à s'assimiler à une organisation. Un ami suggéra qu'il aille à Kauai, lui expliquant que c'était la plus vieille île de la chaîne hawaïenne et qu'elle se dorait au soleil dans une rare beauté, couverte de feuillage luxuriant et de plantes à fleurs. Son ami lui parla des profonds canyons colorés, des plages dorées et des rivières sinueuses; tout cela séduisit son imagination.

## Comment un changement se produisit dans son coeur

Il travailla dans les champs de cannes à sucre pendant quelques mois. Un jour, il se sentit malade et dut être hospitalisé pendant quelques semaines. Chaque jour, des Hawaïens le visitaient, lui apportaient des fruits exotiques, priaient pour lui et démontraient un intérêt profond pour son bien-être. Leur bonté, leur amour et leur attention envahirent son coeur et il répondit réciproquement par l'amour, la paix et la bonne volonté envers eux. Cet homme se transforma.

## Un modèle de vie parfaite

La formule de cet homme est très simple; c'est que l'amour gagnera toujours contre la haine, la bonté gagnera toujours contre le mal, car c'est ainsi que l'univers est formé. J'aimerais commenter ce qui se produit psychologiquement et spirituellement dans ce cas. Le coeur de cet homme était rongé par l'amertume, l'auto-condamnation et la haine des femmes. L'amour, la bonté et les prières de ses compagnons de travail pénétrèrent les couches de son subconscient, effaçant tous les modèles négatifs logés en lui, et son coeur se remplit d'amour et de bonne volonté envers tous. Il découvrit que l'amour est la solution universelle. Sa prière assidue est maintenant celle-ci: «Je répands l'*Amour*, la *Paix* et la *Joie* de Dieu à chaque personne que je rencontre chaque jour de ma vie.» Plus je donne d'amour, plus j'en reçois. Il est plus satisfaisant de donner que de recevoir.

**Cinq étapes pour vivre une vie triomphante**

1. Chaque matin, lorsque vous ouvrez les yeux, affirmez vigoureusement avec un profond sentiment et une grande compréhension: «Ceci est la journée que le Seigneur a faite; réjouis-toi et sois heureux. Je me réjouirai et je rendrai grâce afin que ma vie soit dirigée par la même *Sagesse éternelle* qui guide les planètes dans leurs courses et qui fait briller le soleil.

2. «Je vais vivre une vie glorieuse aujourd'hui et chaque jour. De plus en plus, je vis l'amour, la lumière, la vérité et la beauté de Dieu tout au long de la journée et à chaque jour.

3. «Je vais être une aide extraordinaire pour tous ceux avec qui j'entre en contact et avec qui je travaille et j'aurai du plaisir à le faire.

4. «Je vais être très enthousiaste dans mon travail et mes merveilleuses occasions de servir.

5. «Je me réjouis et je rends grâce que de plus en plus d'amour, de vie et de vérité de Dieu me soient connues chaque jour et que de plus en plus de gloire de Dieu soit concrétisée à travers moi.»

Commencez la journée en affirmant ces vérités miraculeuses et croyez en leur réalité. Tout ce que vous croyez et anticipez fidèlement se réalisera et des merveilles surviendront dans votre vie.

## COMMENT VOUS POUVEZ APPRENDRE À MARCHER ET À PARLER AVEC DIEU POUR LA PAIX ET LA SÉRÉNITÉ

Je rencontrai un homme extraordinaire à Fern Grotto, où l'équipage du bateau est renommé pour chanter l'inoubliable

*Hawaiian Wedding Song* (chant de mariage hawaïen). Cet homme avait quatre-vingt-seize ans; il marchait allègrement et chantait vigoureusement les très belles chansons d'amour hawaïennes sur le bateau qui nous menait à la célèbre grotte. Après le voyage, il m'invita chez lui et ce fut effectivement une expérience extraordinaire. Pour le dîner, nous avons eu d'épaisses tranches de pain de gingembre fait à la maison, du papaya, une tartelette aux pommes, du riz, du saumon grillé et du café Kona cultivé sur une des îles avoisinantes.

Pendant le dîner, il me dit comment il était devenu un nouvel homme en Dieu et, à l'âge de quatre-vingt-seize ans, il rayonnait ce renouveau. Ses joues étaient colorées de santé radieuse et énergique; ses yeux étaient remplis de lumière et d'amour; la joie couvrait tout son visage. Il parlait couramment l'anglais, l'espagnol, le chinois, le japonais et les dialectes hawaïens. Il m'inonda d'un charmant flot de sagesse naturelle, de mots d'esprit, de blagues et de bonne humeur comme j'en avais rarement entendu.

J'étais profondément fasciné et finalement, je lui demandai: «Dites-moi votre secret de vie et de joie. Vous semblez être bouillonnant d'enthousiasme et d'énergie.» «Pourquoi ne devrais-je pas être heureux et fort? répondit-il. «Vous voyez, je possède l'île et pourtant je ne possède rien. Il ajouta: Dieu possède tout, mais l'île entière et tout ce qu'elle contient est là pour que j'en jouisse: les montagnes, les rivières, les grottes, les gens et les arcs-en-ciel. Savez-vous où j'ai obtenu cette maison? demanda-t-il, et il répondit lui-même en disant: «Un touriste reconnaissant me l'a offerte en cadeau; autrement, je ne l'aurais pas.»

**Comment Dieu le guérit**

Il ajouta qu'il y a environ soixante ans, il se mourrait de tuberculose et on désespérait de le sauver; mais un kahuna (prêtre autochtone) le visita et dit à sa mère et à lui qu'il vivrait et que Dieu le guérirait. Le kahuna chanta les prières, imposa ses mains sur sa gorge et sa poitrine et dans sa langue, il appela la *Puissance curative* de Dieu. Au bout d'environ une heure, le malade était complètement guéri et le lendemain, il alla à la pêche. «Depuis ce temps, dit-il, je n'ai jamais eu de douleur ou de malaise d'aucune sorte. J'ai de très bonnes jambes. J'ai marché au-delà de ces montagnes que vous voyez. De plus, conclut-il, j'ai de bons amis bienveillants, quelques chiens et quelques chèvres et cette île merveilleuse. Et j'ai Dieu dans mon coeur. Pourquoi ne serais-je pas heureux et fort?»

Cet homme marchait et parlait réellement avec Dieu et ayant Dieu dans son coeur, il était heureux chaque jour. Cet homme extraordinaire cultivait sa terre, prenait soin de ses chèvres et de ses moutons, visitait les malades, assistait aux festivals et chantait des chansons d'amour hawaïennes qui touchaient l'âme de l'homme.

### Sa chanson pour la santé et la vitalité

La seule ordonnance que le kahuna lui donna fut la suivante: «Chante le psaume 100, le matin, le midi et le soir; vit avec ces vérités dans ton coeur et tu ne seras plus jamais malade.» Il le chanta pour moi, et je n'ai jamais entendu dans ma vie quelque chose d'aussi émouvant, d'aussi pénétrant, d'aussi charmant, allant directement à l'âme. C'était comme la mélodie de Dieu jouée sur votre plexus sacré.

Voici ce psaume de louange:

*Acclamez Yahvé, toute la terre,*
*servez Yahvé dans l'allégresse,*
*allez à lui avec des chants de joie!*

*Sachez que lui, Yahvé, est Dieu,*
*lui nous a faits et nous sommes à lui,*
*son peuple est le troupeau de son bercail.*

*Allez à ses portiques en rendant grâce,*
*entrez dans ses parvis avec des hymnes,*
*rendez-lui grâce, bénissez son nom!*

*Oui, bon est Yahvé,*
*éternel est son amour,*
*d'âge en âge, sa fidélité.*
*(Psaume 100)*

### Comment la foi et la réceptivité guérissent

Connaissant les lois de l'esprit, vous pouvez déjà comprendre l'impression que son prêtre, le kahuna, fit sur lui. Il avait une foi absolue dans les puissances du kahuna, et il croyait implicitement qu'il serait guéri. Son subconscient répondit selon sa croyance. Aujourd'hui, en chantant le psaume 100 quotidiennement, son esprit et son coeur s'élèvent vers Dieu dans la reconnaissance; il se produit une réaction automatique de la Loi apportant avec elle d'innombrables bénédictions.

### La loi de l'action de grâces

Un coeur reconnaissant est toujours près de Dieu; et puisque cet homme rend grâce quotidiennement pour sa santé, son abondance, sa sécurité et ses nombreux bienfaits, Dieu multiplie son bien excessivement. Ceci est basé sur la loi cosmique et universelle d'action et de réaction. La Bible dit: *Approchez-vous de Dieu et il s'approchera de vous* (Jacques 4;8). Thoreau disait: «Nous devrions rendre grâce d'être nés.» Mettez en pratique les vérités du psaume 100 en les chantant et en les répétant lentement, avec amour et sincérité. Par la répétition, ces idées traceront leur chemin jusqu'aux couches les plus profondes de votre esprit et comme des graines, elles croîtront selon leurs espèces. Laissez abonder les merveilles dans votre vie.

## COMMENT UNE GRAND-MÈRE RESTE TOUJOURS INSPIRÉE ET REMPLIE D'ENTRAIN

Je bavardais avec une grand-mère qui s'était assise à côté de moi au cours d'un voyage en bateau vers le célèbre canyon Waimea, une gorge d'environ 900 mètres de profondeur coupée par la rivière Waimea. Elle faisait visiter le canyon à ses deux petites-filles. Elle commenta les couleurs somptueuses de la falaise et la végétation tropicale couvrant les côtés du canyon. Je pourrais peut-être ajouter que les ombres toujours changeantes des nuages en faisaient une scène inoubliable. Cette femme élégante et spirituelle me dit qu'elle avait plus de quatre-vingt-dix ans et qu'elle n'avait jamais été malade une seule journée dans sa vie. La raison de cela: «Je prie constamment.» Cette Hawaïenne enseigne à l'école du dimanche, écrit de la poésie, fait du canot, va à la pêche, trait ses deux vaches chaque matin, parle à des groupes de femmes et projette maintenant un voyage dans vingt pays d'Europe.

Elle me montra une carte sur laquelle étaient dactylographiées les paroles de Tennyson: «Oh, je vois les promesses croissantes que mon esprit n'avait pas remplies. Les anciennes sources d'inspiration jaillissent à travers tout mon esprit.» Au verso de la carte, il y avait un verset biblique: *Vous tous qui êtes altérés, venez vers l'eau; même si vous n'avez pas d'argent, venez. Achetez du blé et consommez, sans argent et sans payer, du vin et du lait* (Isaïe 55;1).

Le vin dans la Bible signifie l'inspiration du Très-Haut où l'Esprit-Saint circule à travers vous, donnant l'énergie et la vitalité à votre être tout entier. Le lait est le symbole de la nourriture. Votre esprit a besoin de nourriture aussi bien que votre corps. Nourrissez votre esprit avec des idées qui guérissent, bénissent, élèvent, inspirent et ennoblissent votre âme. Nourrissez votre esprit quotidiennement de pensées d'amour, de paix, de foi, de confiance, de succès et d'action juste. Le prix que vous payez est l'attention, la dévotion et la loyauté à ces vérités éternelles.

## La clé de sa vie joyeuse

Cette femme trouva la clé d'une vie inspirée et joyeuse en vivant dans son coeur ces deux citations jusqu'à ce qu'elles soient devenues parties intégrales et vivantes d'elle-même. Elle croyait ce qu'elle affirmait et vivait dans la joyeuse attente de la réalisation de ses affirmations. Elle exhalait l'énergie, la joie et la bonne volonté. Elle découvrit que la communion quotidienne avec le Père en elle est la réponse à la *Puissance cosmique* pour une vie parfaite.

## UN GRAND FESTIN SPIRITUEL

Dans la charmante île exotique de Maui, je visitai une femme célèbre chez qui se trouvait un groupe de personnes distinguées, et nous discutâmes des lois mentales et spirituelles à partir d'environ dix heures jusqu'à seize heures. Ses invités étaient familiers avec mes livres *The Power of Your Subconcious Mind* et *Miracle of Mind Dynamics*. Au cours de toute ma vie, je n'avais jamais rencontré un groupe aussi enthousiaste, heureux et joyeux. Leurs coeurs étaient enflammés du Feu divin. Ils racontèrent comment ils surmontaient leurs problèmes par une foi en une puissance plus grande qu'eux-mêmes ou que leur ego conscient. Ils discutèrent agréablement de mes livres et écoutèrent mes enregistrements. Ils me posèrent des questions qui m'enchantèrent et qui démontraient un grand intérêt et une vue intérieure formidable des choses divines. Ils avaient découvert que la joie de vivre est dans la contemplation régulière et systématique des vérités de Dieu.

## LA SAGESSE HAWAÏENNE ET LA JOIE INTÉRIEURE

J'ai trouvé que les Hawaïens étaient des gens très sages, car ils ont accumulé au cours des siècles des connaissances ésotériques et non verbales. Un homme, un autochtone de Maui, qui s'était assis à côté de moi dans l'avion de Kauai vers Maui, était de sang purement hawaïen. Il possède une connaissance des conditions atmosphériques, des courants, des marées, etc. Il m'a appris qu'il peut prédire les raz de marée, les tempêtes et les éruptions volcaniques. Il connaît par leur nom tous les fruits, les fleurs et les arbres des îles et il connaît aussi les propriétés curatives des herbes des îles.

Il a le pouvoir de lire les pensées et il est définitivement clairvoyant. Il me dit où j'allais, me donna mon nom et mon adresse et il avait le don de la rétro-connaissance puisqu'il parla très précisément de plusieurs événements passés de ma vie. Pour mettre à l'épreuve son don de clairvoyance, je lui demandai de lire une lettre qui se trouvait dans ma poche et que j'avais oublié de lire. Il en lut le contenu exact, je l'ai constaté dans ma lecture subséquente.

Ce jeune homme possède une sagesse naturelle. Il est en contact avec son subconscient qui connaît les réponses à toutes les questions. «Lorsque je veux savoir quelque chose, me dit-il, je dis seulement: *Seigneur, vous le savez. Dites-le moi.* La réponse vient toujours parce que j'ai un ami à l'intérieur de moi.» Cet homme travaille dans les champs de cannes à sucre, il joue du ukulele, chante à son travail et est évidemment en accord avec l'*Infini*. Vraiment, il a un ami intérieur et il a découvert la joie de la *Présence* de Dieu qui est sa force.

## LES SEPT ÉTAPES D'UNE FORMULE MIRACLE

Pendant mon séjour dans les îles, je réservai une journée pour interviewer les personnes qui désiraient me consulter à l'hôtel de Kauai. Mon premier visiteur fut un homme que j'avais déjà conseillé, quelques années auparavant, à l'hôtel Royal hawaïen à Honolulu. À ce moment-là, il était alcoolique et avait été déclaré ivrogne et buveur. Il avait eu des traitements par médicaments, par hypnose et autres formes de thérapie. Il m'a dit: «Je suis venu pour vous remercier et je ne prendrai que quelques minutes de votre temps. Vous m'aviez dit que j'étais le maître de la bouteille et que la bouteille n'avait aucune puissance. Vous m'aviez dit d'arrêter de me disculper par des alibis et des excuses et de devenir un vrai homme. J'ai suivi la technique que vous m'aviez prescrite. Je me suis pardonné et j'ai pardonné aux autres, et aujourd'hui je possède mon propre magasin, je suis marié, je fréquente l'église et j'ai deux merveilleux enfants. Je ne suis venu que pour vous remercier, c'est tout.»

Je me souvenais très bien de lui et je me rappelais avoir parlé avec lui à Honolulu. À ce moment-là, il venait tout juste d'avoir son congé de l'hôpital où il avait été traité pour alcoolisme. Voici les étapes que je lui avais suggérées et qui transformèrent sa vie.

1. Je me pardonne entièrement et librement pour avoir abriter des rancunes, des ressentiments et de la mauvaise volonté envers les autres. Lorsque je pense aux autres, je leur souhaite tous les bienfaits de la vie.

2. Je suis le roi et le maître incontestables de mes pensées, de mes paroles, de mes actions, de mes émotions et de mes réactions, je suis l'absolu monarque de mon jugement.

3. Je désire me libérer complètement de cette habitude. Je le veux vraiment et je suis absolument sincère. Je sais que lorsque mon désir d'abandonner est plus grand que mon désir de continuer, je suis déjà à soixante pour cent guéri.

4. J'ai pris ma décision et je sais qu'il en sera fait pour moi selon ma décision. Mon subconscient sait que je suis sincère.

5. J'utilise maintenant mon imagination correctement. Je sais que ma puissance d'imagination est la force fondamentale de l'homme et la plus grande de toutes mes facultés. Trois fois par jour, pendant trois ou quatre minutes, je projette un film dans mon esprit où je vois ma mère me félicitant de ma santé parfaite et de ma liberté. J'entends sa voix et je sens son étreinte, puis j'entre dans la joie de toute cette situation. Lorsque je suis tenté, je projette instantanément ce film mental dans mon esprit. Je sais que cette image mentale est appuyée par la puissance de Dieu.

6. Je sais ce que je fais et pourquoi je le fais. Je sais que, selon ma foi, cela s'accomplit en moi. Je sais que croire est accepter quelque chose comme étant vraie. Je sais que mon désir est authentique, que mon image mentale est réelle et que la puissance qui me soutient vient de Dieu. Je sais que toute la puissance de Dieu est dirigée au point central de mon attention.

7. Je suis maintenant libre et j'en rends grâce.

J'avais donné cette formule miracle de sept étapes à plusieurs alcooliques, à des toxicomanes du LSD ou de la marijuana. Vous pouvez surmonter toute habitude négative en suivant ces principes simples. Cet homme est heureux, joyeux, bouillonnant d'élan de vie. J'ai dîné chez lui où les cocotiers bruissaient sous la brise vagabonde; les vagues de l'océan fouettaient la grève et s'éloignaient, laissant l'écume sur le sable; les fleurs tropicales de couleurs éclatantes nous entouraient de tous côtés. Le papaya et le citron glacé étaient aussi doux que le nectar des dieux. Et le poi, leur denrée de base, était délicieusement assaisonné de muscade et de cannelle. La beauté, la sérénité et la joie de vivre étaient présentes dans toute l'atmosphère de son foyer. Lui et sa famille prièrent avant et après le dîner, rendant grâce de tous leurs bienfaits, et les chansons d'amour et la musique hawaïennes remplissaient sa maison. Vraiment, j'étais entré dans ce que nous appelons la puissance infinie pour une vie parfaite.

## COMMENT ACQUÉRIR LA JOIE DE VIVRE

Sur cette île, je correspondais avec une jeune fille que j'appellerai Marie. Elle étudiait mon livre *The Power of Your Subconcious Mind* que je lui avais envoyé quelques mois plus tôt. Dans la première lettre qu'elle m'avait envoyée à Beverly Hills, elle disait qu'elle était remplie de peurs anormales et qu'elle avait une personnalité brimée. Elle avait rompu ses fiançailles avec un jeune homme et celui-ci avait pris sa revanche en lui disant qu'un kahuna l'avait maudite. Elle vivait dans une peur continuelle. Je lui répondis qu'il n'y avait qu'une seule Puissance et que cette Puissance agissait pour l'unité et l'harmonie dans le monde; que Dieu est *Esprit, unique* et *invisible* et qu'une partie de l'Esprit ne pouvait pas être opposée à une autre; elle n'avait donc rien à craindre. Je lui écrivis une technique spirituelle qu'elle pourrait suivre pour bannir toute peur.

Pendant mon entrevue avec elle, je retrouvai une personnalité radieuse, une jeune femme rayonnante de joie de vivre, bouillonnante d'enthousiasme et de joie, et enflammée de nouvelles idées pour l'île. Elle me dit: «J'ai suivi vos instructions à la lettre et je suis transformée par une lumière intérieure.»

Voici le régime spirituel qu'elle mit en pratique plusieurs fois par jour, comme le suggérait ma lettre:

*Dieu est tout ce qui existe. Une personne avec Dieu est une majorité. «Si Dieu est pour nous, qui sera contre nous?» (Rom. 8;31.) Je sais et je crois que Dieu est l'Esprit vivant Tout-Puissant, l'Éternel, la Toute-Sagesse, et il n'y a aucune puissance pour défier Dieu. Je sais et j'accepte complètement que lorsque mes pensées sont des Pensées de Dieu, la Puissance de Dieu est dans mes pensées de bien. Je sais que je ne peux pas recevoir ce que je ne peux donner, et je nourris des pensées d'amour, de paix, de lumière et de bonne volonté envers mon ex-ami et tous ceux qui l'entourent. Je suis immunisée et enivrée de Dieu et je suis toujours entourée par le cercle sacré de l'amour de Dieu. L'armure entière de Dieu m'entoure et m'enveloppe. Je suis divinement guidée et instruite et j'entre dans la joie de vivre. «Tu m'apprendras le chemin de vie, devant ta face, plénitude de joie, à ta droite, délices éternelles.» (Ps. 16;11.)*

Elle se mit à répéter ces vérités régulièrement et systématiquement pendant environ dix minutes chaque matin, après-midi et soir sachant, croyant et comprenant qu'en les affirmant, elle les enfoncerait graduellement dans son subconscient par un processus spirituel d'osmose et qu'elles se réaliseraient en liberté, en paix intérieure, en un sentiment de sécurité, de confiance et de protection. Elle savait qu'elle mettait en application une loi infaillible de l'esprit. Environ dix jours plus tard, toutes ses peurs s'évanouirent. Maintenant, elle occupe une position formidable ici dans l'île. Elle me présenta son nouveau fiancé qui dit: «Elle est la joie de ma vie.» Cette jeune femme qui avait été pratiquement pétrifiée par la peur d'un supposé sort est maintenant épanouie; elle prodigue ses talents et connaît la joie de vivre.

## LA SIGNIFICATION DE KAHUNA

La plupart des Hawaïens ici et dans les autres îles affirment qu'il n'y a plus de kahunas et ils n'en parlent pas volontiers. Il y a, cependant, le type appelé le kahuna blanc, désignant un homme qui pratique la magie blanche ou qui jette des charmes par ses incantations et sa connaissance ésotérique. Un des guides hawaïens me dit que ces kahunas étaient entraînés dès l'enfance par leurs aînés qui les soumettaient à une discipline sévère et au secret. Plusieurs d'entre eux sont hautement respectés pour leurs pouvoirs guérisseurs, ce que nous appellerions aujourd'hui la connaissance des propriétés curatives de certaines herbes et plantes. Mon guide, qui semblait plus ouvert que les autres pour discuter du sujet, souligna qu'on craignait grandement certains kahunas comme s'ils étaient des kahunas anaanas, i.e. ceux qui traitent avec la mort ou la magie noire.

La dame dont j'ai parlé plus haut apprit que les menaces, les suggestions négatives et les affirmations des autres ne possèdent absolument pas le pouvoir de créer les choses qu'elles suggèrent. Vous êtes le seul penseur dans votre univers. C'est votre pensée qui est créatrice. Pensez en bien et le bien suivra; pensez en mal et le mal suivra. Unissez-vous à

Dieu. Lorsque vos pensées sont des pensées de Dieu, la *Puissance* de Dieu est avec vos pensées. *Si Dieu est pour nous, qui sera contre nous?* (Rom. 8;31.)

## POINTS À RETENIR

1. L'Amour de Dieu, qui signifie l'attachement émotionnel à toutes les bonnes choses, vous rendra capable de vivre une vie glorieuse.

2. L'amour, la bonté et la bonne volonté feront fondre la glace dans le coeur de l'autre personne et inciteront cette dernière à une action réciproque. L'amour est une solution universelle.

3. Lorsque vous ouvrez les yeux le matin, affirmez avec plaisir: «Ceci est le jour que le Seigneur a fait pour moi. Je me réjouirai et je serai heureux. Je rends grâce de ce que ma vie soit dirigée par la même Sagesse qui guide les planètes dans leur course et fait briller le soleil.» Croyez à la Direction de Dieu et des merveilles s'accompliront dans votre vie.

4. Réalisez que l'âge n'est pas l'envol des années. C'est l'aube de la sagesse de votre esprit. Dieu possède toutes choses et l'univers entier existait déjà lorsque vous êtes né. Laissez la joie du Seigneur être votre force.

5. Vivez avec les grandes vérités du psaume 100, qui est un cantique d'action de grâces à Dieu. Chantez ces vérités dans votre âme jusqu'à ce qu'elles deviennent une partie intégrante de vous, comme le pain digéré devient une partie de votre sang.

6. Un coeur reconnaissant est toujours près de Dieu. La Bible dit: *Approchez vous de Dieu et Dieu se rapprochera de vous* (Jacques 4;8).

7. Vous pouvez vous sentir inspiré et plein d'entrain toute votre vie. Chaque matin, appelez Dieu et *il* vous répondra.

8. Vous pouvez découvrir la joie de vivre dans la contemplation régulière et systématique des vérités de Dieu. Vous devenez ce que vous contemplez.

9. Les puissances de la clairvoyance, de la préconnaissance et de la télépathie sont en vous. En croissant en sagesse, vous commencerez à puiser dans le réservoir infini en vous et ces facultés latentes deviendront actives dans votre vie.

10. Vous ne pouvez recevoir ce que vous ne pouvez donner. Ceci est une loi de l'esprit. Donnez l'amour, la joie et la bonne volonté à tous. Plus vous donnez, plus vous recevez de bienfaits.

11. Vous êtes le seul penseur dans votre univers. Il n'y a rien à craindre dans l'univers de Dieu. *Je ne crains aucun mal; près de moi ton bâton, ta houlette sont là...* (Psaume 23;4.) «Un avec Dieu est une majorité.» *Si Dieu est pour nous, qui sera contre nous?* (Rom. 8;31.)

# 11

# Comment avoir la puissance infinie de votre côté

Une des clés de la compréhension de la vie est de réaliser que tout vient par paires. Toute action provient de l'entrelacement de deux opposés. Une combinaison des forces de vie mâle et femelle a créé l'univers. Emerson a déjà dit: «La polarité, ou l'action et la réaction, nous la rencontrons dans chaque partie de la nature.» Nous avons l'esprit et la matière, le mâle et la femelle, le positif et le négatif, la maladie et la santé, l'amour et la haine, la nuit et le jour, la chaleur et le froid, l'intérieur et l'extérieur, le doux et l'aigre, le haut et le bas, le nord et le sud, le subjectif et l'objectif, le mouvement et le repos, le oui et le non, le succès et l'échec, la tristesse et la joie, etc. L'Esprit et la matière ne sont autres que des aspects de l'*unique Réalité*. La matière est l'esprit rendu visible. La matière est le plus bas degré de l'esprit et l'esprit est le plus haut degré de la matière. Ces contraires dans la vie sont les manifestations de l'*Être unique* et sont nécessaires pour connaître la vie.

Dans l'état absolu, il n'y a pas de différenciation, de contraste ou de relation établie. Il subsiste dans l'état d'unicité. Lorsque l'*Absolu* devient relatif, i.e. lorsque Dieu créa l'univers, *il* créa les contraires pour que nous puissions connaître la sensation, la fonction et le sentiment d'être vivants. Nous devons avoir des sentiments et de la sensibilité pour être conscients d'être en vie. Nous savons par contraste la différence entre la chaleur et le froid, la hauteur et la profondeur, la longueur et la largeur, le doux et l'aigre, la dépression et l'élévation, le mâle et la femelle et le subjectif et l'objectif. Tous ces contraires sont des demies de l'*Être unique* qui est entier, parfait et indivisible.

## COMMENT LES PENSÉES VIENNENT EN PAIRES

Un jeune garçon de douze ans, qui écoute mes émissions de radio du matin, dit à sa mère qu'il irait visiter son oncle en Australie pendant ses vacances. Sa pensée d'aller là-bas était très forte mais il avait une autre pensée qui disait: «Maman ne me laissera pas y aller.» Sa mère avait dit: «C'est impossible, nous n'avons pas l'argent et ton père ne peut te l'offrir. Tu rêves.»

Son fils dit cependant qu'il avait entendu à mon émission de radio que lorsque quelqu'un désirait vraiment quelque chose et qu'il croyait que l'*Intelligence créatrice* en lui le réaliserait, sa prière était exaucée. Sa mère dit: «Vas-y, prie.» Ce garçon, qui avait beaucoup lu à propos de l'Australie et de la Nouvelle-Zélande, avait un oncle qui possédait un grand ranch en Australie. Il pria de la façon suivante:

«Dieu ouvre la voie pour que papa, maman et moi allions en Australie pendant les vacances. Je crois ceci et Dieu s'en occupe maintenant.» Lorsque la pensée que ses parents n'avaient pas l'argent pour y aller lui venait à l'esprit, il affirmait: «Dieu ouvre la voie.» Ses pensées venaient par paires, mais il ne prêtait attention qu'à la pensée constructive et la pensée négative disparaissait.

### Comment il fit un voyage astral

Une nuit, il eut un rêve dans lequel il se trouvait dans le ranch de son oncle dans le Sud de l'Australie et où il voyait des milliers de moutons et rencontrait son oncle et ses cousins. Lorsqu'il se réveilla le lendemain matin, il décrivit la scène entière à la surprise de sa mère. Le même jour, ils reçurent un câblogramme de son oncle qui les invitait tous les trois à son ranch et offrait de défrayer leurs dépenses aller-retour. Ils acceptèrent.

Le désir intense du garçon de visiter son oncle agit sur son subconscient comme un commandement pendant qu'il dormait et, utilisant la quatrième dimension de son corps, il fit un voyage astral jusqu'au ranch. Le garçon me dit que ce qu'il observa lorsqu'il arriva au ranch avec ses parents coïncidait exactement à ce qu'il avait vu dans sa projection astrale pendant qu'il dormait. Il lui fut donc fait comme il avait cru.

## COMMENT SA PEUR D'UN SECOND MARIAGE FUT ANÉANTIE

Une jeune femme me dit: «Je désire me remarier mais la peur me vient à l'esprit d'attirer le mauvais conjoint et de répéter l'erreur de mon précédent mariage.» La peur se bagarrait avec son désir, et sa pensée de peur semblait dominer. Je lui expliquai que tout vient par paires. Par exemple, si quelqu'un pense à la richesse, la pensée de la pauvreté arrive aussi; si nous parlons d'un bon coeur, nous pensons au coeur méchant, et ainsi de suite.

Je lui expliquai que la façon de surmonter la pensée négative était de retirer complètement son attention de la pensée de peur et d'élever son esprit au-dessus de l'opposition en méditant la réalisation joyeuse de son mariage avec le bon partenaire.

**La technique utilisée pour l'accomplissement heureux**

«Je sais qu'il n'y a qu'*un seul Pouvoir tout-puissant* qui ne connaît pas d'opposition. Il n'y a rien pour s'y opposer, le défier ou le corrompre. Il est invulnérable et invincible et j'affirme maintenant que j'attire le bon partenaire qui s'accorde spirituellement, mentalement et physiquement avec moi. Je consacre sincèrement mon attention à cette idée dans mon esprit, faisant confiance à la loi de mon subconscient pour la mener à sa réalisation.» Lorsque la pensée de peur venait à son esprit, elle affirmait: «Dieu s'occupe de ma requête.» Après quelques jours, la pensée de peur perdit de son intensité puis disparut. Elle fit vivre son idéal en l'alimentant et le nourrissant de la foi et de la confiance de son esprit.

**Comment elle rencontra son futur mari dans la quatrième dimension de son corps (astral)**

Chaque soir de votre vie, lorsque vous vous endormez, vous passez dans l'autre dimension de la vie, qui est appelée la *quatrième dimension* et qui pénètre ce plan. Peu de temps après avoir commencé sa technique de prière, elle eut un rêve réel dans lequel je célébrais son mariage chez moi. Elle vit son futur époux et m'entendit prononcer son nom et lui demander de répéter les promesses du mariage. Tout ceci était très clair et réel. Elle se sentit présente chez moi et toucha la statue de Bouddha de même que les tableaux sur les murs.

Elle se réveilla dans une grande joie et un grand bonheur et me téléphona pour me dire ce qui était arrivé dans son sommeil. Elle me décrivit la pièce où je célébrerais le mariage à quelques détails près. Je lui expliquai que pendant qu'elle dormait, elle était venue chez moi dans la quatrième dimension (astrale) de son corps qui était surchargé d'électrons subtilisés et atténués vibrant à une très grande vitesse et capables de traverser les murs, etc. Je lui fis remarquer que, sans aucun doute, le mariage avait déjà eu lieu dans l'autre dimension de l'esprit et que sa propre conviction et son accomplissement intérieur l'amèneraient à se réaliser.

## La touche finale à son voyage astral

Cette jeune dame, qui travaille comme secrétaire pour une grande organisation, fut invitée à la maison d'un des administrateurs par l'épouse de celui-ci. Son hôtesse lui présenta son fils qui était l'homme qu'elle avait vu dans son rêve! Il lui dit: «Je vous ai déjà vue!» Il commença à lui raconter son rêve de la cérémonie de mariage célébrée par un ministre étranger dans sa maison privée. Ils avaient eu des rêves identiques et subséquemment, l'auteur célébra la cérémonie du mariage qui coïncidait dans tous les détails à cette expérience combinée de la quatrième dimension.

J'explique ainsi ce phénomène: cette jeune dame pensait avec intérêt au type d'homme qu'elle désirait épouser et elle inscrivit l'idée dans son subconscient qui, en retour, dramatisa son contenu dans une avant-première de la quatrième dimension, puisque tout ce qui arrive objectivement doit d'abord avoir lieu subjectivement. L'*Intelligence infinie* dans son subconscient les a réunis dans la quatrième dimension aussi bien que dans la troisième.

## POURQUOI VOUS ÊTES VOTRE PROPRE LÉGISLATEUR D'EXPÉRIENCES BONNES OU FRUSTRANTES

Vos pensées habituelles, vos conceptions et vos opinions évoquent en vous certaines émotions qui imprègnent votre subconscient, et vous répétez automatiquement ces modèles dans votre existence comme un automate ou une sorte de robot mécanique. La loi de votre esprit est telle que tout ce que vous imprimez dans votre subconscient se manifeste en expériences, conditions et événements dans votre vie. Vos pensées (bonnes ou mauvaises) sont la plume mentale avec laquelle vous écrivez constamment dans votre esprit profond appelé le livre de la vie. Voici pourquoi vous vous faites des lois, des règles et des règlements. Connaissant cette loi, vous commencerez à inscrire dans votre esprit des pensées de succès, de bonheur, de paix, d'harmonie, d'abondance, d'action juste et de sécurité vous conduisant à une vie remplie et heureuse.

## COMMENT UN VENDEUR SE DÉBARRASSA DE SON «SORTILÈGE»

En me parlant, un vendeur se plaignait qu'il n'avait conclu aucune vente en quatre jours consécutifs et qu'il était certain qu'une sorte de mauvaise étoile ou de croquemitaine était contre lui parce que chaque fois qu'il appelait un client, ce dernier disait: «Rien aujourd'hui» ou «Je ne peux pas vous rencontrer aujourd'hui.»

Ce vendeur se fâcha et s'enragea contre lui-même en se disant: «Je lâche prise; le sort est contre moi; je suis un échec.» Ces affirmations chargées de peur se logèrent dans son subconscient. Celui-ci, une loi impersonnelle, répondit par un mouvement automatique confirmant ses peurs et ses croyances intérieures dans le monde extérieur des affaires. En d'autres mots, il décrétait une réponse mécanique de son subconscient vers la défaite et l'échec, accompagnée d'autocritique et d'autocondamnation.

## Comment il trouva la victoire en lui

Voici le conseil que je lui donnai: la première étape dans la restauration du succès et de la bonne fortune est de cesser complètement toute autocritique, de chercher la Présence de Dieu en lui et de choisir la Direction divine, l'action juste, l'harmonie et l'abondance. Je lui expliquai qu'il possédait la capacité d'idéaliser et d'imaginer avec consistance le succès, la réussite et la victoire; s'il utilisait cette aptitude, son esprit profond répondrait alors en conséquence. Il commença à comprendre plus clairement que sa pensée et son imagination pouvaient changer sa condition, son vécu et ses sensations.

Ce vendeur renversa la marée qui s'acharnait contre lui en comprenant et en appliquant la prière suivante:

*À partir de maintenant, je n'attends que le meilleur, et je sais qu'invariablement le meilleur me viendra. Je sais que la bonne fortune me vient d'une multitude de façons. Lorsque j'aurai tendance à me condamner ou à me diminuer, j'affirmerai immédiatement: «J'exalte Dieu en moi, Celui qui me guide et me protège sur tous mes sentiers.» Je décrète le succès, l'abondance et l'accomplissement. L'amour Divin m'accompagne dans toutes mes actions et je prospère au-delà de mes rêves les plus chers.*

Ce vendeur reconditionna son esprit en réitérant fréquemment les vérités ci-dessus et il retourna à son efficacité première avec une plus grande aptitude à donner du service et accroître ses ventes et sa bonne fortune.

## L'HISTOIRE PATHÉTIQUE D'UN ÉTUDIANT EN MÉDECINE REMPLI DE PEUR

Voici en partie une lettre que je reçus d'un étudiant en médecine. Il écrivait:

«Je suis au bord d'une crise de nerfs. Je déteste un de mes professeurs. J'ai peur qu'il me fasse échouer et que je sois disgracié aux yeux de mes parents. Je me méprise. Je suis taciturne et trop renfermé. J'ai peur d'éclater devant le professeur et de le réduire en pièces et alors, c'en sera fait de moi. Je suis hors de moi à cause de cette peur.»

Je lui demandai de venir me voir puisqu'une consultation personnelle est toujours plus efficace qu'une longue dissertation écrite. En parlant avec lui, je découvris que ce jeune étudiant en médecine sentait qu'il devait échouer. Sa peur me révéla qu'inconsciemment, il sentait intérieurement qu'il devait être puni et que le professeur devait le faire échouer parce qu'il n'était pas bon. Il admit que tout ceci était vrai. En fait, il projetait sa peur et son autocondamnation sur le professeur, sur ses parents et même sur l'université, et se disait en même temps au plus profond de son coeur: «Je devrais échouer.»

## La raison fondamentale de sa frustration

Pourquoi ce jeune homme voulait-il être médecin et en même temps, au fond de lui-même, voulait-il aussi rater son examen? Il avait été élevé par un père tyrannique et despotique. Il y avait une lutte constante entre son père et sa mère. Son père avait des exigences beaucoup trop grandes pour lui sur le plan académique et ailleurs, et le garçon, qui ne pouvait pas répondre à ces exigences, sentait qu'il était bon à rien, un échec.

Lorsqu'il était jeune, il se méprisait et se sentait *rejeté*. L'apitoiement et l'autopunition étaient ses attitudes dominantes quand il était enfant et maintenant adulte, il *répétait continuellement* ce sentiment de rejet et d'autonégation. Lorsqu'un de ses professeurs critiquait son travail, il retournait dans son esprit à ses anciennes blessures et aux traumatismes psychiques ou aux pensées blessantes de sa jeunesse, sentant qu'il n'était pas bon et qu'il devait être puni; alors, il se blessait lui-même et détruisait en même temps quatre années d'études médicales.

Après avoir jeté un regard éclairé en lui-même, il réalisa que souvent, nous projetons nos peurs, nos ressentiments et notre autocondamnation à l'extérieur sur les gens qui nous entourent et sur les forces invisibles; il se réveilla soudain aux résultats désastreux de ses paroles: «Je ne suis pas bon; je suis un échec; je devrais être puni; je suis un raté, je devrais me jeter dans le lac.» Toutes ces négations, réalisa-t-il, étaient des ordres à son subconscient qui réagissait en conséquence. En disant qu'il n'était pas bon, son subconscient voyait à ce qu'il ne soit pas bon dans son examen, dans ses relations avec les gens, dans ses études et dans ses contacts avec le monde en général. En plus, il s'attirerait possiblement des accidents, des pertes et des échecs dans tous les domaines.

**La guérison qui libère**

Étant médicalement habitué à la réflexion, il comprit immédiatement la cause de sa situation et commença à affirmer vigoureusement:

*La présence de Dieu est ma véritable nature. Cette présence est bénédiction, harmonie et joie, elle est indivisible, parfaite, entière, infinie, éternelle et omnipotente. Ceci est mon moi réel qui est toujours le même hier, aujourd'hui et à jamais. C'est le Je suis en moi, le Principe de vie, la Puissance suprême et souveraine, créatrice de toutes choses visibles et invisibles.*

*Mon autre moi, ma personnalité, est basé sur mon éducation, mon endoctrinement et mon conditionnement tels que la pensée et les croyances de mes parents, ma parenté, mes professeurs et les autres qui ont implanté des peurs, des superstitions et d'autres croyances fausses dans mon esprit lorsque j'étais trop jeune pour les rejeter. Je peux changer cette personnalité. Je fais la bonne chose maintenant et je continuerai à donner à mon subconscient des modèles de pensées et des images de don de vie en affirmant:*

*«L'amour de Dieu remplit mon subconscient, effaçant tous les modèles négatifs de peur. La rivière de Paix de Dieu inonde mon esprit. Je suis rempli de foi et de confiance dans la Bonté de Dieu, et je sais que Dieu me guide dans tous les domaines et que la juste Action divine me gouverne. J'irradie l'amour et la bonne volonté envers tous mes professeurs et tous ceux qui sont autour de moi. En me baignant dans l'océan infini d'Amour, de puissance et de beauté, je sais que je suis propre et intègre. Dieu m'aime et prend soin de moi, et en me rapprochant de Lui, Il se rapproche de moi.»*

Ce jeune étudiant en médecine retourna à l'université, renouvelé et transformé, et il m'écrivit une gentille lettre qui disait: «Je connais la signification de *La lumière dissipe les ténèbres* et je sais aussi ce qui arrive aux mots croisés lorsque la réponse est connue. J'utilise la prière régulièrement. Je suis un homme nouveau.»

Ce médecin en herbe aurait pu ajouter ce qui arrive aux cavités du subconscient empoisonnées d'apitoiement sur soi, d'autorejet et d'autopuniton lorsque vous laissez passer l'océan infini d'amour, de lumière, de vérité et de beauté dans le courant pollué de l'esprit. Il est purifié et rendu salubre.

Il découvrit les deux natures en lui: l'homme naturel (l'homme aux cinq sens, habituellement conditionné par l'hérédité, l'environnement et les fausses croyances théologiques) et l'homme spirituel qui signifie la Présence de Dieu appelé *Je suis* dans la Bible, qui signifie l'Être pur, le Principe de la vie. Il exalta les Puissances spirituelles en lui et se brancha mentalement sur elles, amenant ces Forces divines à gouverner ses pensées, ses sentiments, ses croyances, ses actions et ses réactions. L'ancienne personnalité mourut alors et le nouvel homme en Dieu naquit.

Vos pensées vous viennent par paires. Les pensées agressives des cinq sens, ou l'homme matériel, doivent être détruites et la pensée de Dieu doit être ressuscitée et vivre en vous. *Et moi, élevé de terre, j'attirerai tous les hommes à moi.* (Jean 12;32)

## POINTS À RETENIR

1. Tout vient par paires. Vous êtes conscient, par exemple, de la nuit et du jour, du reflux et du flux, du nord et du sud, du mâle et de la femelle, du positif et du négatif, de l'intérieur et de l'extérieur, du doux et de l'aigre, du repos et du mouvement, de la maladie et de la santé et de la tristesse et de la joie.

2. Ces contraires dans la vie sont des demies du *Tout unique* qui est la manifestation de Dieu. Ces contraires, ces contrastes et ces comparaisons nous font sentir que nous sommes vivants.

3. L'État absolu est un sentiment d'unité et d'intégralité mais lorsque Dieu créa l'univers, *il* créa les contraires pour que nous puissions connaître la sensation de fonctionnement et, de ce fait, entrer dans la joie de vivre et découvrir

notre vraie Divinité. Dieu devient homme pour la joie de se découvrir *lui-même* car il n'y a que Dieu. Chaque homme est la manifestation de Dieu.

4. Un jeune garçon était déterminé à aller en Australie, mais il avait peur que sa mère ne lui refuse de faire ce voyage. Le garçon se concentra sur la pensée du voyage et ignora la pensée de peur jusqu'à ce qu'elle disparaisse. Il fit confiance à Dieu, puis il fit ce voyage.

5. Une jeune femme avait un désir intense de se marier mais elle luttait contre son désir et, comme résultat, elle était frustrée. Elle avait peur de répéter l'erreur de son premier mariage. Elle dégagea son esprit de la pensée de peur et médita sur les qualités qu'elle admirait chez un mari, ayant confiance que la Sagesse de Dieu amènerait la réalisation de sa pensée.

6. Vous décrétez des lois pour vous-même par votre façon habituelle de penser et par les opinions et les conceptions que vous acceptez comme étant vraies. Tout ce que vous imprimez dans votre subconscient se manifeste en expériences, conditions et événements. Avec la plume de vos pensées, vous pouvez inscrire le succès, la direction, l'action juste, l'harmonie, l'abondance et la sécurité dans votre subconscient.

7. Le soi-disant *sort* s'acharnant contre le vendeur était son autocondamnation, son autocritique et son autorejet. Il renversa son attitude mentale et s'unit aux forces de Dieu en lui, affirmant vigoureusement que l'*Intelligence* le guidait, le dirigeait et le faisait progresser dans tous les domaines.

8. Un étudiant en médecine avait peur de rater son examen final; il détestait un des professeurs et il vivait dans

une peur constante d'insulter ou de détruire celui-ci. Il réalisa soudainement que sa peur était due au fait qu'intérieurement et inconsciemment, il sentait qu'il devait échouer parce qu'il se sentait sans valeur et qu'il voulait être puni. Il chassa sa peur et, par le fait même, il devint un homme transformé.

9. Vos pensées viennent par paires. Les pensées de l'homme aux cinq sens doivent mourir et les pensées du Dieu intérieur doivent être ressuscitées et vivre en vous.

# 12

# Comment utiliser la puissance infinie pour recharger vos batteries mentales et spirituelles

Il y a quelque temps, j'eus une conversation avec un homme d'affaires qui me dit finalement: «Comment puis-je avoir un esprit tranquille dans un monde troublé et confus? Je sais qu'on dit: *Un esprit tranquille vient à bout de tout.* Je suis confus et troublé et la propagande dans les journaux, la radio et la télévision me rendent à moitié fou.»

Je lui dis que j'essaierais de jeter un peu de lumière sur son problème, lui fournissant la médecine spirituelle qui calmerait ses peurs et ses anxiétés et lui donnerait la tranquillité de l'esprit qui vient à bout de tout. Je soulignai que si ses pensées du matin, du midi et du soir tournaient autour de la guerre, du crime, de la maladie, de la mort, des accidents et de la malchance, il apporterait automatiquement l'humeur de dépression, d'anxiété et de peur. Mais, d'un autre côté, s'il accordait son temps et son attention aux lois et aux principes éternels qui gouvernent le cosmos et toute la vie, il serait automatiquement élevé dans l'atmosphère mentale de sécurité et de sérénité intérieures.

SON MÉDICAMENT SPIRITUEL

En conséquence, trois fois par jour, cet homme remplit son esprit des vérités suivantes: «*Les cieux racontent la gloire de Dieu, et l'oeuvre de ses mains, le firmament l'annonce...*

(Psaume 19;1.) Je connais une *Intelligence suprême* qui gouverne les planètes dans leurs courses et qui contrôle et dirige l'univers entier. Je sais que la Loi et l'Ordre divins agissent avec une certitude absolue modelant le monde entier, faisant apparaître les étoiles tous les soirs dans le ciel et réglant les galaxies dans l'espace; et Dieu gouverne l'univers. Je m'avance mentalement dans le silence de mon esprit et je médite ces Vérités éternelles de Dieu.

*«...la nation juste, celle... dont le caractère est ferme, qui conserve la paix, car elle se confie en toi (Isaïe 26;3). Je vous laisse la paix; je vous donne ma paix; je ne vous la donne pas comme le monde la donne. Que votre coeur cesse de se troubler et de craindre (Jean 14;27).*

«Car Dieu n'est pas un Dieu de désordre, mais de paix (I Cor. 14;33).

*«Que la paix du Christ règne dans vos coeurs...»* (Col. 3;15.)

## SE CONCENTRER SUR LES GRANDS PRINCIPES DE LA VIE

Cet homme d'affaires se détourna des soucis et des inquiétudes de la journée et prêta attention aux grands principes et aux vérités de la vie, il les médita et se concentra sur elles. Il oublia les petits détails et commença à penser aux grandes, merveilleuses et bonnes réalités. Lorsqu'il se détourna des épreuves et des problèmes du monde et refusa de les décrire ou même d'en parler, son anxiété et son inquiétude diminuèrent et il développa un esprit calme dans un monde agité. Conséquemment, son entreprise fonctionna plus rondement, grâce à de meilleures décisions qu'il pouvait maintenant prendre.

## COMMENT UNE MÈRE HARASSÉE CONQUIT SON «COEUR TROUBLÉ» ET SES EXASPÉRATIONS

Une jeune ménagère souffrait d'insomnie et de continuelles palpitations. Elle pensait qu'elle souffrait d'une maladie cardiaque. Elle était déprimée et nourrissait de la haine, de l'impatience et de l'hostilité envers son mari et ses enfants. Les manchettes du journal l'ennuyaient terriblement et elle écrivait des lettres d'insultes et de blâme à son député. Je l'envoyai consulté un cardiologue. Il dit qu'elle n'avait aucun désordre organique mais qu'elle était remplie de conflits émotionnels et qu'elle en voulait au monde entier.

J'expliquai à cette dame que sa haine et son tourment émotionnels envers sa famille et les autres personnes seraient dissouts lorsqu'elle commencerait à suivre un modèle de prière, et qu'en s'harmonisant à la Présence et à la Puissance, elle découvrirait qu'elle serait baignée et saturée d'ordre, d'harmonie, d'amour et de calme qui la rejoindraient dans sa période de méditation tranquille sur les Vérités divines. J'expliquai en plus qu'elle devait alors s'attendre à une réponse automatique de son esprit profond la rendant équilibrée, sereine et calme, et, de plus, qu'elle aurait un sentiment de bonne volonté envers tous. J'insistai sur le fait qu'elle devait cesser complètement de parler de ses malaises, de ses inquiétudes et de ses anxiétés concernant les situations dans le monde car cela ne faisait qu'amplifier ses troubles intérieurs et rendre sa situation encore pire parce que son esprit amplifiait toujours ce qu'il percevait.

### Une technique pour l'équilibre et le calme intérieurs

Elle se concentra sur les versets curatifs de la Bible que je lui écrivis, sachant qu'en le faisant, ces vérités pénétreraient dans son subconscient et la rendraient radieuse, heureuse, joyeuse et libre. Voici ces quelques versets:

*Ne t'ai-je pas donné cet ordre: Sois fort et tiens bon? Sois donc sans crainte ni frayeur, car Yahvé ton Dieu est avec toi partout où tu iras* (Jos. 1;8,9).

*Et nous savons qu'avec ceux qui l'aiment, Dieu collabore en tout pour leur bien...* (Rm. 8;28.)

*De toute votre inquiétude, déchargez-vous sur lui, car il a soin de vous* (I Pierre 5;7).

*Vers toi, Yahvé, j'élève mon âme, ô mon Dieu. En toi je me confie, que je n'aie point honte, que mes ennemis ne se gaussent de moi! ... Dirige-moi dans ta vérité, enseigne-moi, c'est toi le Dieu de mon salut. En toi tout le jour j'espère à cause de ta bonté, Yahvé. Souviens-toi de ta tendresse, Yahvé, de ton amour, car ils sont de toujours* (Psaume 24; 1,2,5,6).

Centrant son attention sur cette nourriture spirituelle, elle trouva rapidement la paix que donne la compréhension.

## COMMENT CONSERVER UN ESPRIT SEREIN

En parlant avec moi, plusieurs hommes d'affaires et professionnels de différentes croyances religieuses m'informèrent qu'ils assistaient régulièrement ou périodiquement à une retraite où ils écoutaient des sermons sur Dieu, la prière et l'art de la méditation, et qu'ils entraient ensuite dans une période de silence. Après une méditation matinale, on leur disait de contempler ce qu'ils avaient entendu et de rester silencieux pendant plusieurs jours, même pendant les repas.

Pendant tout ce temps, on leur demandait de pratiquer calmement et tranquillement les directives et les méditations données chaque matin.

Ils m'ont tous dit qu'ils en reviennent renouvelés, rafraîchis et qu'ils refont le plein, spirituellement et mentalement. De retour à leurs bureaux, leurs manufactures et leurs vies professionnelles, ils continuent de se réserver des périodes tranquilles de quinze à vingt minutes chaque jour, le matin et le soir, et ils ont constaté que la Bible dit vrai: *Alors la paix de Dieu, qui surpasse toute intelligence, prendra sous sa garde vos coeurs et vos pensées* (Phil. 4;7).

## Les avantages de recharger les batteries mentales et spirituelles

Ayant spirituellement rechargé leurs batteries mentales et spirituelles, ces hommes sont capables d'affronter les problèmes, les conflits, les vexations et les controverses de la journée avec foi, courage et confiance. Ces hommes savent où puiser une puissance spirituelle renouvelée: en s'harmonisant, comme Emerson disait, à l'*Infini*, qui s'étend tranquillement dans un repos souriant.

L'énergie, la puissance, l'inspiration, la direction et la sagesse viennent du silence et du calme de l'esprit en accord avec Dieu. Ces hommes ont appris à relaxer et à abandonner leur fierté égoïste. Ils ont reconnu, honoré et appelé une sagesse et une puissance qui ont créé toutes choses visibles et invisibles et qui gouvernent toutes choses continuellement, éternellement et à jamais. Ils ont décidé de marcher dans la voie de la sagesse. *Ses chemins sont chemins de délices, et ses sentiers mènent au bonheur* (Prov. 3;17).

177

## LE CALME DE L'ESPRIT EST À VOTRE PORTÉE

Si je vous offre un livre en cadeau, pour le recevoir, vous devrez tendre la main. De la même manière, puisque toutes les richesses de Dieu sont en vous, vous devrez faire un effort pour les réclamer. Dieu est le donneur et le cadeau, mais vous êtes le receveur. Ouvrez votre esprit et votre coeur et laissez entrer la Rivière de paix de Dieu. Laissez-la remplir votre esprit et votre coeur car Dieu est la Paix.

Méditez ces quelques versets du psaume 8 et vous y trouverez une profonde rivière de vie, d'amour, de tranquillité et de sérénité qui s'emparera des espaces stériles de votre esprit, apportant le repos à l'âme troublée.

*À voir ton ciel, ouvrage de tes doigts, la lune et les étoiles, que tu fixas, qu'est donc le mortel, que tu en gardes mémoire, le fils d'Adam, que tu en prennes souci? À peine le fis-tu moindre qu'un dieu, le couronnant de gloire et de splendeur; tu l'établis sur l'oeuvre de tes mains, tout fut mis par toi sous ses pieds* (Psaume 8;4,7).

En méditant sur les vérités éternelles contenues dans ce psaume et sur l'incommensurable nature de l'univers auquel nous appartenons, l'*Esprit infini*, l'*Intelligence infinie* qui nous créa, qui nous anime, qui nous supporte et qui bouge rhythmiquement, harmonieusement, incessamment, immuablement et avec une précision mathématique, nous donne la foi, la confiance, la force et la sécurité. Sachez que vous avez, comme dit le psalmiste, le contrôle de vos pensées, de vos sentiments, de vos actions et de vos réactions dans la vie. Ceci vous remplit d'estime de soi et d'un sentiment de valeur et de puissance qui vous donnent la force d'accomplir votre travail, de vivre joyeusement et de marcher sur la terre en chantant à jamais les louanges de Dieu.

## COMMENT UN CONFLIT INTÉRIEUR
## PEUT ÊTRE MAÎTRISÉ

Un jour, à Beverly Hills, un homme qui me reconnut m'arrêta sur la rue et me dit qu'il était terriblement troublé. Il demanda: «Pensez-vous que je puisse avoir un esprit tranquille? Je lutte contre moi-même depuis plus de deux mois.» Un conflit rageait en lui. Il était affligé de peur, de doute, de haine et de bigoterie. Il était furieux parce que sa fille s'était mariée dans une religion différente et il disait qu'il détestait son gendre. Il n'était pas en bons termes avec son fils parce qu'il s'était inscrit dans les forces armées et que lui (le père) appartenait à un mouvement de paix. Et par-dessus tout ça, sa femme lui intentait une poursuite pour divorcer.

Je ne pouvais pas lui accorder beaucoup de temps sur le coin de la rue, mais je lui dis brièvement qu'il devait être content que sa fille ait épousé l'homme de ses rêves et que, s'ils s'aimaient, ils devaient très certainement se marier, car l'amour ne connaît aucune croyance, aucune race, aucun dogme ni couleur. L'amour est Dieu et Dieu est impersonnel et ne fait acception de personne. Au sujet de son fils, je suggérai qu'il lui écrive pour lui dire qu'il l'aimait et qu'il priait pour lui. J'ajoutai qu'il devait respecter la décision de son fils et ne pas s'ingérer dans ses affaires mais de désirer pour lui tous les bienfaits de la vie. Je lui dis aussi que je comprenais, à partir de ce qu'il racontait, que les disputes et les querelles dans son mariage étaient probablement dues à un conflit d'enfance non résolu avec sa mère et qu'il s'attendait à ce que son épouse remplace sa mère.

J'écrivis ces vérités éternelles sur un morceau de papier et les lui donnai à lire et à assimiler: «Tu garderas en paix parfaite celui dont l'esprit t'est fidèle parce qu'il a confiance en *toi*.» Je le pressai de garder son esprit centré sur Dieu avec confiance, foi et assurance, et qu'il sentirait alors la rivière de vie, d'amour et de tranquillité intérieure remplir son coeur. J'ajoutai que lorsqu'il pensait à n'importe qui de sa famille, il devait dire: «La paix de Dieu remplit mon âme et la paix de Dieu remplit son âme.»

### Comment cette guérison fut accomplie

Quelques jours plus tard, je reçus une note de cet homme qui disait:

«Ma vie était comme l'enfer. Je détestais ouvrir les yeux le matin. Je prenais des tranquillisants chaque soir pour dormir. Après vous avoir quitté dans la rue, toutefois, je me suis confié à Dieu avec ma famille et j'ai affirmé constamment: *Dieu me gardera en paix parfaite parce que mon esprit* lui *est fidèle.* Le changement qui s'est opéré est incroyable. La vie est remplie de joies et de merveilles. Mon épouse a annulé les procédures de divorce et nous sommes de nouveau réunis. J'ai écrit à ma fille et mon gendre et à mon fils et la paix, l'harmonie et la compréhension règnent entre nous tous.»

*Tout ce que cet homme fit fut de balayer hors de son coeur toute haine et tout ressentiment.* En s'abandonnant à la Rivière de paix en lui, cette dernière l'inonda et tout rentra dans l'Ordre divin.

###  COMMENT UNE «VICTIME DES CIRCONSTANCES» CESSA D'ÊTRE UNE VICTIME

Pendant les mois d'été, j'eus le plaisir de diriger un séminaire près de Denver, au Colorado. Pendant que j'étais là-bas, j'eus une entrevue avec un homme qui disait: «Je suis emprisonné, frustré, malheureux, bloqué à chaque tournant de la route. Je veux vendre mon ranch et m'en aller mais je me sens prisonnier, captif.»

«Bien, dis-je, si je vous hypnotisais maintenant, vous croiriez être tout ce que je vous suggérerais parce que votre conscient, qui raisonne, juge et pèse, serait suspendu et votre subconscient, étant sans controverse, accepterait toute suggestion qui lui serait donnée. Si je suggérais que vous soyez un guide indien et que vous soyez à la recherche d'un criminel, vous partiriez furtivement à sa recherche dans les montagnes.

«Si je vous disais que vous êtes en prison et que vous ne pouvez pas sortir, vous vous sentiriez comme un prisonnier et vous vous croiriez entouré de murs et de barres de métal. Suivant ma suggestion, vous feriez de grands efforts pour vous évader. Vous essaieriez de sauter par-dessus les murs; vous chercheriez les clés et essaieriez de vous enfuir; et vous essaieriez par tous les moyens possibles de vous échapper. Pendant tout ce temps, vous êtes ici dans les grands espaces du Colorado, aussi libre que le vent. Tout ceci est dû à la soumission de votre subconscient à ces suggestions qu'il exécute fidèlement.

«De la même façon, vous avez suggéré à votre subconscient que vous ne pouviez pas vendre le ranch, que vous étiez prisonnier ici, que vous ne pouviez pas aller à Denver pour faire ce que vous voulez, que vous étiez endetté et que vous étiez bloqué à chaque tournant. Votre subconscient n'a d'autre alternative que d'accepter les suggestions que vous lui avez données car il ignore tout sauf ce que vous imprimez en lui. *Véritablement, vous vous êtes magnétisé et hypnotisé vous-même.* Vous vous imposez votre esclavage et vos restrictions, vous souffrez et vous êtes en conflit mental continuel à cause de vos opinions et de vos fausses croyances.»

## Apprendre à penser correctement

Je lui recommandai de suivre les anciennes vérités: «Sois transformé par le renouvellement de ton esprit. Repens-toi, car le Royaume de Dieu est proche.» *Se repentir* signifie penser encore, repenser du point de vue des principes fondamentaux et des vérités éternelles. Je lui dis de se redresser hardiment et de réclamer son bien car, comme disait Shakespeare: «Toutes les choses sont disponibles si l'esprit l'est aussi.» J'ajoutai qu'il devait être prêt, qu'il devait préparer son esprit à recevoir son bien maintenant, car le royaume d'harmonie, de santé, de paix, de direction, d'abondance et de sécurité est à sa portée, attendant seulement qu'il accepte et prenne son bien maintenant.

## «L'ordonnance» qui le sauva

*Mon esprit est maintenant absorbé, intéressé et fasciné par les vérités inchangeantes et éternelles de Dieu. J'immobilise maintenant mon esprit et je médite la grande vérité que Dieu habite en moi, marche et parle par moi. J'immobilise les rouages de mon esprit et je sais que Dieu habite en moi. Je le sais et je le crois. «Il est du bon plaisir du Père de m'intégrer au Royaume.» «Remets ton sort au Seigneur: aie confiance en Lui et Il te comblera.»*

*L'Intelligence infinie attire l'acheteur qui veut mon ranch, il y prospère, il y a Échange divin, et nous sommes tous les deux bénis. L'acheteur est le bon et le prix est le bon et les courants profonds de mon subconscient nous réunissent dans l'Ordre divin. Je sais que «Toute les choses sont disponibles si l'esprit l'est aussi.» Lorsque des pensées d'inquiétude viendront à mon esprit, j'affirmerai immédiatement: «Aucune de ces choses ne m'émeut.» Je sais que je reconditionne mon esprit au repos, à la relaxation, à la sérénité et à l'imperturbabilité. Je me crée un nouveau monde de liberté, d'abondance et de sécurité.*

Quelques semaines plus tard, je reçus un appel téléphonique de cet homme me disant qu'il avait vendu son ranch et qu'il était ainsi libre d'aller à Denver. Il n'était plus prisonnier de son esprit. Il dit: «J'ai réalisé que je m'étais moi-même placé dans une prison de privation, de limitation et de restriction par ma pensée négative et que, véritablement, je m'étais hypnotisé.»

Cet homme apprit que sa pensée était créatrice et que toute sa frustration était due aux suggestions qu'il acceptait des autres, bien qu'il pût les rejeter, et que les événements, les circonstances et les conditions n'étaient pas les causes de sa frustration. Ils suggéraient des peurs et des limitations auxquelles il s'abandonnait au lieu de les rejeter complètement en réalisant que la ligne droite de pensée est la seule cause et la seule puissance dans ce monde. La répétition de sa méditation lui donna le pouvoir de penser constructivement et lui prouva sa capacité de choisir sagement à partir de principes universels.

Lorsque les anxiétés, les inquiétudes et les peurs vous viennent, maintenez votre équilibre intérieur et affirmez: «J'élèverai les yeux vers les collines d'où vient ma force.», et proclamez fermement aussi en vous-même: *Aucune de ces choses ne m'émeut.*

## POINTS À RETENIR

1. Si vous commencez le matin, le midi et le soir à penser à toutes les calamités dans le monde: les crimes, les désastres, les maladies, les tragédies, vous vous traînerez dans une émanation de pensée morbide et vous provo-

querez conséquemment la dépression et la mélancolie. Réalisez que la Loi et l'Ordre divins gouvernent le monde, que vous serez élevé et que vous entrerez dans le monde de révérence pour les choses divines.

2. Retirez-vous mentalement dans le calme de votre esprit et méditez les lois et les principes derrière toutes choses. Gardez votre esprit en Dieu et vous posséderez la sérénité et goûterez la réalisation de vos désirs.

3. Refusez de décrire vos symptômes, vos problèmes et vos inquiétudes et ils s'amoindriront. Pensez grand et unissez-vous à Dieu.

4. La haine, le tourment émotif et l'animosité envers les autres se dissoudront en pratiquant l'art de la prière efficace qui est de méditer les vérités de Dieu du plus haut point de vue.

5. Vous immobilisez les rouages discordants de votre esprit lorsque vous répétez lentement le psaume 23. Puis méditez tranquillement, pendant quinze ou vingt minutes, la signification de ces versets pour vous. Vous rencontrerez alors triomphalement tous les défis de la journée.

6. Le Bien cosmique est le donneur et le cadeau. Vous êtes le receveur. Avancez mentalement maintenant pour accepter la Rivière de paix de Dieu et laissez-la couler dans votre esprit et votre coeur. Dieu est paix et sa Paix attend votre acceptation, car Dieu est l'Éternel maintenant. Pourquoi attendre pour l'avoir, prenez-la MAINTENANT.

7. Un merveilleux psaume à implanter dans votre esprit pour l'équilibre, la confiance, la dignité et une profonde révérence pour les choses divines est le psaume 8. C'est une

ordonnance spirituelle merveilleuse pour une sérénité féconde.

8. Lorsque deux personnes de croyances religieuses différentes s'aiment, l'amour transcende tous les dogmes religieux et institutionnalisés et elles devraient se marier.

9. Vous n'êtes pas victime des circonstances, des situations, de l'hérédité ou de l'environnement. Pensez du point de vue du principe, et la loi créatrice de votre esprit répondra selon la nature de votre pensée.

# 13

# Comment utiliser la puissance infinie pour vous guider dans tous les domaines

Il y a un principe de Direction divine agissant en vous et à travers tout l'univers. En utilisant l'*Intelligence infinie* en vous, vous pouvez attirer plusieurs expériences et événements merveilleux, au-delà de vos rêves les plus chers. Ce chapitre vous révélera les principes de la direction dans une multitude de façons, afin que vous puissiez les appliquer pour attirer toutes sortes de bienfaits dans votre vie.

## COMMENT UNE FEMME S'ATTIRA LE BON PARTI

Une jeune secrétaire qui avait antérieurement commis deux erreurs en mariage me dit: «Je ne veux pas faire une troisième erreur. Je sais que mes deux dernières erreurs furent commises parce que j'avais jugé par l'apparence et je ne sais pas comment appliquer le principe de la direction dans ma vie. Dites-moi si ma prière actuelle est correcte.» Voici sa prière:

*L'Intelligence infinie en moi m'attire le bon parti. Il est harmonieux, des plus gentils, amical et spirituel. Je contribue à sa joie et à son bonheur et il y a une harmonie, une paix et une compréhension entre nous. Je crois définitivement que l'Intelligence infinie répond à ma pensée et je sais qu'elle ne fait aucune erreur. J'attends et je crois définitivement et positivement que je rencontrerai le bon parti. Je sais que ce principe agit maintenant et je marche sur la terre dans la lumière qu'il en est ainsi.*

Je fis l'éloge de sa prière écrite ainsi que de l'intelligence et la sagesse démontrées dans l'application de ses puissances intérieures. Le principe de la *Direction divine* travailla pour elle et elle attira un homme intéressant, aimable et merveilleux. Je célébrai plus tard leur mariage.

## COMMENT LA DIRECTION DIVINE TRAVAILLE POUR UNE AUTRE PERSONNE

Vous pouvez utiliser la *Puissance infinie* pour guider quelqu'un d'autre que vous-même, qu'il soit un étranger, un parent ou un ami intime. Vous pouvez le faire en sachant que la *Puissance directrice infinie* est sensible à votre pensée et en croyant à cette Réponse infinie. Je l'ai fait pour plusieurs personnes avec des résultats extraordinaires et fascinants.

Par exemple, un jeune ingénieur m'appela un jour et dit: «L'organisation où je travaille est vendue à une grande firme et on me dit qu'on n'a pas besoin de moi dans la nouvelle organisation. Voudriez-vous prier pour moi pour la *Direction divine?*» Je lui répondis qu'il y avait un *Principe directeur infini* qui révélerait une nouvelle porte d'expression pour lui et que tout ce qu'il avait à faire était de croire en ce principe de la même façon qu'il croyait dans la Loi de Boyle ou la Loi Avogadro en sciences.

J'utilisai le principe comme suit: j'imaginai cet ingénieur me disant: «J'ai trouvé une merveilleuse position avec un salaire extraordinaire. Elle m'est *tombée du ciel.*» Je répétai ce processus pendant environ trois ou quatre minutes après avoir raccroché et puis j'oubliai tout. Je crus et j'attendis la réponse.

Le lendemain, il m'appela et confirma le fait qu'il avait accepté une bonne offre d'emploi pour une nouvelle firme d'ingénierie. L'offre, disait-il, *était tombée du ciel!*

Il n'y a qu'un Esprit et ce que j'imaginai subjectivement et que je sentis comme étant véridique se réalisa dans l'existence de l'ingénieur. Lorsque vous faites appel au *Principe directeur infini*, *Il* vous répond toujours. Ce que vous croyez se réalisera certainement.

## COMMENT RECEVOIR LA DIRECTION PERSONNELLE POUR UNE PLACE AUTHENTIQUE

Vous bâtissez votre confiance et votre foi dans la Force *directrice infinie* en sachant que Dieu est la *Vie infinie* et que vous êtes la vie éternelle rendue manifeste. Le *Principe de Vie* est intéressé à chercher une forme d'expression à travers vous. Vous êtes unique et entièrement différent. Vous pensez, parlez et agissez différemment. Il n'y a personne dans le monde comme vous. Le *Principe de Vie* ne se répète jamais. Réalisez, sachez et croyez que vous avez des talents et des capacités spécifiques et uniques. Vous pouvez accomplir quelque chose d'une façon spéciale que personne d'autre dans tout l'univers ne peut faire parce que vous êtes vous. Vous êtes ici pour vous exprimer et faire ce que vous aimez et de ce fait, combler votre destinée dans la vie. Vous êtes important. Vous êtes un organe ou une expression de Dieu. Dieu a besoin de vous là où vous êtes, autrement vous ne seriez pas là. La présence de Dieu habite en vous. Toutes les puissances, les attributs et les qualités de Dieu sont en vous. Vous avez la foi, l'imagination et la puissance de choisir et de penser. Vous moulez, façonnez et créez votre propre destinée par la façon dont vous pensez.

## COMMENT LE PRINCIPE DIRECTEUR SAUVA UNE VIE

Le défunt docteur Harry Gaze, auteur d'*Emmet Fox, The Man and His Work* (Emmet Fox, l'homme et son oeuvre), croyait au Principe directeur dans toutes ses entreprises. Un jour qu'il allait monter à bord d'un avion, une voix intérieure lui dit de ne pas le faire. Ses bagages étaient déjà à bord mais il les en sortit et annula son voyage. Il suivit cette impulsion intuitive et se sauva la vie, car tous ceux qui étaient dans cet avion périrent.

Voici le passage de la Bible qu'il préférait: *Il a pour toi donné ordre à ses anges de te garder en toutes tes voies. Sur leurs mains ils te porteront pour qu'à la pierre ton pied ne heurte.* (Psaume 91;11,12.)

## L'ACTION JUSTE PAR LA DIRECTION EST POUR VOUS

*La Direction divine* vient lorsque vos motifs sont justes et lorsque votre désir intérieur réel est d'accomplir le bien. Lorsque votre pensée est juste, i.e. lorsqu'elle est conforme à la Règle d'Or et à la loi de la bonne volonté envers tous, un sentiment intérieur de paix et de tranquillité jaillit en vous. Ce sentiment intérieur d'équilibre, de balance et de sérénité vous amène à accomplir la bonne action dans toutes les phases de votre vie. Lorsque vous désirez sincèrement pour les autres ce que vous désirez pour vous-même, vous pratiquez alors l'amour qui est l'accomplissement de la loi de la santé, du bonheur et de la paix de l'esprit.

### Comment vous pouvez être guidé automatiquement

Un de mes amis, un constructeur, est toujours occupé et ne peut pas répondre adéquatement à tous ses appels d'affaires. Il me raconta: «Ils me disent que la construction est lente, mais je ne fournis pas à répondre aux appels quotidiens.» Il ajouta qu'il avait fait beaucoup d'erreurs dans le passé et qu'il avait perdu deux petites fortunes à cause d'une entreprise hazardeuse; mais six ans auparavant, il s'était assis et avait étudié *The Power of Your Subconscious Mind* et avait immédiatement commencé à appliquer les principes décrits dans ce livre. Il me montra sa prière quotidienne proprement dactylographiée sur une carte qu'il porte toujours sur lui. Elle se lit comme suit:

*Je me pardonne toutes mes erreurs passées. Je ne blâme personne. Toutes mes erreurs étaient des tremplins vers mon succès, ma prospérité et mon avancement. Je crois implicitement que Dieu me guide toujours et que tout ce que je ferai sera juste. J'avance avec confiance, sans aucune peur. Je sais que je suis élevé, guidé, dirigé, soutenu, prospère et protégé dans tous les domaines. Je pose le bon geste, je pense les bonnes pensées et je sais qu'il y a dans mon subconscient une Intelligence infinie qui me répond.*

*Je donne le meilleur à mes clients. Je suis guidé pour donner le prix juste et je suis inspiré pour voir ce qu'il y a à faire et je le fais. J'attire les bons hommes qui travaillent harmonieusement avec moi. Je sais que ces pensées s'enfoncent dans mon subconscient, formant un modèle subjectif, et je crois que j'obtiendrai une réponse automatique de mon subconscient selon ma façon habituelle de penser.*

Voici la prière quotidienne du constructeur et il est automatiquement guidé à tout bien. Il me disait que tout ce qu'il fait semble avoir la touche de Midas, la Touche d'Or pour la prospérité. Il n'y a eu aucune erreur, aucune perte ni aucun conflit de travail dans ses rangs depuis plus de six ans. Vraiment, il est automatiquement guidé, comme vous pouvez l'être aussi.

Souvenez-vous que votre subconscient répond à la nature de votre pensée et de votre imagination consciente.

## COMMENT LA DIRECTION DIVINE RÉVÉLA DES TALENTS AUTHENTIQUES

Un jeune homme, qui avait échoué dans le domaine musical, dans le théâtre comme acteur et en affaires aussi, me dit: «J'ai échoué en tout.» Je lui suggérai que la réponse à son problème était en lui et qu'il pourrait trouver sa véritable expression dans la vie. Je lui expliquai que lorsqu'il ferait ce qu'il aimait faire, il serait heureux, couronné de succès et prospère.

Suivant ma suggestion, il pria de la façon suivante:

*J'ai la puissance de m'élever plus haut dans la vie. J'en suis maintenant venu à la décision précise que je suis né pour réussir et pour mener une vie constructive et triomphante. J'atteins la conviction intérieure que le chemin royal du succès m'appartient maintenant. L'Intelligence infinie en moi révèle mes talents cachés et je suis la voie qui vient à mon esprit conscient, à ma raison. Je la reconnais clairement. Le succès est mien maintenant. La richesse est mienne. Je fais ce que j'aime faire et je sers l'humanité de façon merveilleuse. Je crois au Principe directeur et je sais que la réponse vient, puisqu'il m'est fait selon ce que je crois.*

Après quelques semaines, ce jeune homme eut un désir intense d'étudier pour le ministère dans le domaine de la Science de l'Esprit. Aujourd'hui, il a un énorme succès comme professeur, ministre et conseiller et il est immensément heureux dans son travail. Il a découvert un *Principe directeur infini* qui connaissait ses talents intérieurs et qui les lui révéla selon sa croyance.

## COMMENT UNE FEMME DE QUATRE-VINGTS ANS DÉCOUVRIT UNE FORTUNE DANS SON ESPRIT

J'eus une conversation des plus intéressantes avec une femme de plus de quatre-vingts ans qui était alerte, vive d'esprit, illuminée, inspirée et vivifiée par l'*Esprit divin* qui animait son être entier. Elle me dit que pendant plusieurs semaines, elle avait vivifié son Moi supérieur avant de s'endormir: «Mon Moi supérieur me révèle une nouvelle idée qui est complète dans mon esprit et que je peux visualiser avec la plus grande facilité. Cette idée bénit tous les gens.» Elle reçut dans son esprit le modèle d'une nouvelle invention complète. Elle donna en retour le dessin à son fils qui est ingénieur et qui le soumit à un avocat qui fit brevetée l'invention. Une organisation lui offrit $50 000 pour l'invention, plus un pourcentage des ventes.

Elle croyait qu'en parlant ainsi à l'*Intelligence suprême* en elle, le *Principe directeur infini* répondrait et que l'idée serait complète, incluant toutes les améliorations nécessaires possibles. Sa prière fut exaucée exactement comme elle l'avait espéré, visualisé et planifié.

Quels que soient votre profession, votre entreprise, votre métier ou occupation, vous avez la puissance d'immobiliser votre esprit et vous pouvez faire appel à l'*Intelligence infinie* de votre subconscient pour vous révéler une nouvelle idée qui vous bénira et bénira le monde. Vous pouvez fermement croire que vous obtiendrez une réponse. *Avant qu'ils n'appellent, moi je répondrai, ils parleront encore que j'aurai entendu.* (Isaïe 65;24.)

## COMMENT LE PRINCIPE DIRECTEUR ATTIRE CE QUE VOUS CHERCHEZ

Une de mes amies m'écrivit d'Irlande, disant qu'une ferme appartenant à un oncle avait été léguée à son frère qui était parti en Amérique en 1922 et de qui on était sans nouvelles depuis. Elle demandait s'il était possible de le trouver et de lui écrire. Ils avaient engagé les services d'un avocat en Irlande mais il ne pouvait rien trouvé et n'avait pas reçu le moindre indice. Mon amie n'avait même pas une photo de son frère.

Je m'assis un soir, puis j'immobilisai mon esprit et je lus le psaume 23, le plus merveilleux psaume pour le repos, le calme et la quiétude. Dans ce psaume, on nous dit que David révéla que le Seigneur le guidait et le menait sur des prés d'herbe fraîche et vers les eaux du repos, ce qui signifie que le Principe directeur infini révèle les réponses à l'homme et le guide à des situations paisibles, heureuses et joyeuses. David croyait en ce *Principe directeur* et *il* répondit à sa croyance. Le Seigneur auquel il référait est l'*Intelligence créatrice* résidant dans le subconscient de chacun et, qui vous créa et qui vous soutient.

Pendant toute une soirée, je méditai sur la sagesse de ce psaume, de la façon suivante: «Le *Principe directeur infini* qui guide les planètes dans leur course, qui fait briller le soleil et gouverne le cosmos entier est le même *Principe directeur* en moi. Il sait tout et voit tout. Cette *Intelligence suprême* sait où cet homme se trouve et révèle la réponse. Il communique avec sa soeur immédiatement. Il n'y a qu'un esprit et il n'y a pas de séparation dans le *Principe de l'Esprit*. De plus, il n'y a pas de temps ni d'espace dans l'esprit. J'affirme maintenant que l'endroit où il se trouve est immédiatement connu et révélé à sa soeur et à son avocat en Irlande. Cette *Intelligence* en moi sait le mieux comment faire ceci et s'en occupe à sa façon. Je crois ceci, je l'accepte et je rends grâce que ce soit maintenant accompli.»

La façon dont le *Principe directeur* travailla est des plus révélatrices et inspirantes. Quelques semaines s'étaient écoulées lorsque je reçus une lettre de mon amie d'Irlande. Elle me disait que son frère lui avait envoyé un cablogramme indiquant qu'il était en route pour lui faire une visite. C'était le premier mot qu'elle avait de lui depuis le mois d'avril 1922, soit depuis quarante-six ans. Ceci n'était pas une coïncidence ou de la pure chance. C'était la *Loi* et l'*Ordre* de l'univers. Rien n'arrive par chance. Comme disait Emerson: «Tout est poussé par derrière.» Il y a une loi de cause et d'effet qui est cosmique et universelle. Ma pensée entra dans le subconscient universel dans lequel nous vivons, bougeons et sommes présents et qui pénètre le cosmos entier. Ceci fut saisi par le frère absent et le *Principe directeur de Vie* le contraignit à communiquer immédiatement avec sa soeur.

Une lettre subséquente de mon amie affirmait que son frère lui avait dit qu'un soir, il ne pouvait pas dormir parce qu'il avait un besoin persistant, harcelant, implacable de visiter son foyer d'antan et d'appeler sa soeur. Il répondit immédiatement au besoin psychique en lui en envoyant un télégramme et en réservant une place dans un avion pour l'Irlande. À son arrivée au bercail, il trouva que les suggestions et les chuchotements de son esprit profond s'étaient avérés être une bénédiction puisqu'il héritait non seulement d'une merveilleuse ferme mais aussi d'une belle maison.

Vous ne pouvez pas déterminer comment viendra la réponse à votre prière. La Bible dit: *Autant les cieux sont élevés au-dessus de la terre, autant sont élevées mes voies au-dessus de vos voies, et mes pensées au-dessus de vos pensées.* (Isaïe 55;9.)

## POINTS À RETENIR

1. Vous pouvez apprendre de vos erreurs. Réalisez qu'elles sont des tremplins vers votre succès. Il y a un *Principe directeur cosmique* qui répond à votre foi en *lui*.

2. Vous pouvez utiliser le *Principe directeur* pour guider et diriger une autre personne en réalisant qu'il n'y a qu'un Esprit et que la même *Intelligence infinie* qui guide les planètes dans leur course guidera, dirigera et révélera la bonne réponse à l'autre personne. Votre croyance sera communiquée instantanément à la personne pour qui vous priez, et elle connaîtra la joie de la prière exaucée. Ce que vous croyez arrivera certainement.

3. Vous pouvez découvrir vos talents cachés et votre vraie expression dans la vie en appelant le Principe directeur en vous et en affirmant avec conviction: «L'Intelligence infinie révèle mes talents cachés et ouvre la voie parfaite pour la plus haute expression de mes talents. Je suis la voie tracée dans mon esprit conscient, dans ma raison.»

4. Le Principe directeur peut vous protéger du mal et vous avertir d'un danger imminent. Le défunt docteur Harry Gaze méditait régulièrement deux versets du psaume 91 (versets 11 et 12) et la *Protection divine* lui fut donnée et lui sauva la vie.

5. L'*Action juste divine* vous vient lorsque vos motifs sont justes et lorsque vous désirez réellement poser le bon geste en conformité avec la Règle d'Or et la *Loi de l'amour*.

6. Plusieurs personnes connaissent automatiquement la *Direction* parce qu'elles ont convaincu leur subconscient

qu'elles croyaient qu'elles seraient toujours guidées à faire la bonne chose, et leur subconscient répond en conséquence. Sentez, croyez, affirmez et sachez que vous êtes guidé, dirigé, soutenu et béni en tout temps. En continuant à réitérer ces vérités, vous serez automatiquement guidé.

7. Prenez la décision bien arrêtée que vous êtes né pour réussir et pour mener une vie constructive et triomphante. Affirmez et croyez que le chemin royal du succès est vôtre maintenant et le *Principe directeur cosmique* vous guidera à la victoire, au triomphe et au succès phénoménal.

8. Vous pouvez découvrir une fortune dans votre esprit. Faites appel à l'*Intelligence infinie* en vous pour révéler une nouvelle idée créatrice qui vous bénira et bénira l'humanité. Affirmez que l'idée est complète dans votre esprit et que vous la visualisez clairement. La réponse viendra. Tout ce que vous devez faire est de croire. Il vous sera fait selon votre foi.

9. Si vous cherchez un ami ou un parent absent depuis longtemps et que vous ne savez pas où cette personne se trouve, réalisez que l'*Intelligence cosmique* sait tout et voit tout. Affirmez vigoureusement, sachant et croyant que la réponse viendra: «L'*Intelligence cosmique* sait où Jean se trouve et elle me révèle l'endroit dans l'*Ordre divin*. Je dispense ceci à l'océan de mon esprit subjectif et il révèle la réponse à sa façon.» En méditant de cette manière, vous connaîtrez la joie d'une prière exaucée. *En toutes tes démarches, reconnais-le et il aplanira tes sentiers.* (Prov. 3;6.)

# 14

# Comment utiliser
# la puissance infinie
# pour guérir

La *Puissance curatrice cosmique* qui créa votre corps sait aussi comment le guérir. Il y a une *Présence curative infinie* en vous qui connaît tous les processus et les fonctions de votre corps. Lorsque vous *vous accordez* à cette *Puissance infinie, elle* devient active et puissante dans votre vie. La Bible dit: *C'est moi, Yahvé, qui te rends la santé.* (Exode 15;26.)

C'est votre droit de naissance divin d'être en santé, plein de vie, fort et dynamique. Ce chapitre fera ressortir d'une manière frappante les processus et les étapes à suivre pour provoquer et connaître une santé radieuse. Je vous suggère de commencer à pratiquer les méthodes et les techniques soulignées dans ce chapitre parce que vous trouverez de cette manière la voie vers la santé, l'harmonie et la sérénité.

## UNE BONNE SANTÉ EST ASSURÉE
## PAR LA PENSÉE CONSTRUCTIVE

La Bible nous dit: *Car tel il pense dans son coeur, tel il est.* Le coeur signifie votre subconscient. Les pensées, les opinions et les croyances implantées dans votre subconscient sont rendues manifestes dans votre corps, dans votre entreprise et dans toutes vos autres affaires. Votre santé est contrôlée très largement par la façon dont vous pensez tout au long du jour. En guidant votre esprit vers les pensées d'intégrité, de beauté, de perfection et de vitalité, vous connaîtrez un sentiment de bien-être. Si vous nourrissez des pensées d'inquiétude, de peur, de haine, de jalousie, de dépression et de deuil, vous connaîtrez la maladie de l'esprit, du corps et des affaires. Vous êtes ce que vous pensez toute la journée.

## COMMENT LIBÉRER LA PUISSANCE CURATIVE INFINIE

J'envoyai une femme souffrant d'un mal de gorge chronique et d'une fièvre persistante à un médecin de mes amis. Il diagnostiqua le cas comme étant une gorge infectieuse et lui donna un antibiotique et un gargarisme. Cependant, elle ne réagit pas à l'antibiotique et le médecin ne put en trouver la raison. À ma requête, elle revint me voir. Je lui demandai si elle me cachait quelque chose; et si oui, en m'en parlant, la guérison suivrait possiblement.

Elle s'écria: «Je déteste ma mère et l'endroit où je vis. Ma mère est dominatrice et exigeante et elle veut contrôler ma vie en me faisant épouser un homme qu'elle pense bien pour moi.»

Cet état émotionnel de ressentiment, plus un sentiment de culpabilité parce qu'elle détestait sa mère, provoquait son infection de gorge et sa fièvre. Je lui expliquai que son état ambivalent d'amour et de haine par lequel elle aimait sa mère à un moment pour la détester une minute plus tard, était sans aucun doute la cause de sa maladie. Elle ne voulait pas épouser l'homme en question et son subconscient lui rendait alors service en apportant l'inflammation et l'infection de sa gorge. Son subconscient disait en fait à son conscient: «Tu ne peux pas l'épouser aussi longtemps que tu es malade.» C'était une façon pour son corps de consentir à son désir subconscient.

**Comment sa santé redevint normale**

À ma suggestion, elle avisa définitivement et positivement sa mère qu'elle n'allait pas épouser cet homme parce qu'elle ne l'aimait pas. De plus, elle s'établit dans sa propre résidence et décida de prendre toutes ses décisions. Je parlai à la mère et lui mentionnai qu'elle avait complètement tort d'insister pour que sa fille épouse un homme qu'elle n'aimait pas et que le mariage sans amour n'est qu'une comédie, une blague et une mascarade.

La mère accepta sagement et dit à sa fille qu'elle pourrait épouser qui elle désirait, qu'elle ne lui dicterait plus sa ligne de conduite, la laissant libre comme le vent.

**Manifestation d'un miracle de guérison**

Cette jeune femme eut une conversation à coeur ouvert avec sa mère et les deux s'engagèrent dans un esprit de pardon, d'amour et de bonne volonté l'une envers l'autre. Immédiatement, il y eut une guérison complète et elle n'a pas eu de problème physique depuis.

## COMMENT LIBÉRER LA NOUVELLE PUISSANCE QUI DONNE LA SANTÉ

Récemment je bavardais avec un jeune banquier qui semblait très nerveux, froussard et apparemment malade dans son esprit et dans son corps. Il dit, «J'ai la grippe asiatique. Cette grippe m'épuise.» J'écrivis une ordonnance mentale et spirituelle pour lui, insistant sur le fait que par la répétition, la croyance et l'attente, les idées de santé, d'intégrité et de force pénétreraient dans son subconscient et qu'il obtiendrait de merveilleux résultats.

### Une ordonnance métaphysique pour la santé

Voici mon ordonnance: «Je suis fort, puissant, aimant, harmonieux, plein de vie, dynamique, rempli de joie et heureux.» Il répéta cette affirmation pendant environ dix minutes, trois ou quatre fois par jour, sachant que tout ce qu'il attachait au *Je suis* se réaliserait. Au bout d'une semaine, il m'appela et me dit: «Le médicament spirituel que vous m'avez prescrit est miraculeux. Dorénavant, je vais m'assurer que tout ce que j'attacherai à l'expression *Je suis* sera semblable à Dieu et de bon aloi.» Il attendait des résultats et il croyait à la réponse de son subconscient.

## LA PUISSANCE CURATIVE INFINIE
## DE VOTRE SUBCONSCIENT

Une mère m'amena son garçon de dix ans qui souffrait d'asthme. Sa mère disait que lorsque l'été arrivait et que le garçon allait vivre avec ses grands-parents à San Francisco, il était complètement libéré de tout malaise; mais lorsqu'il revenait à la maison, il souffrait invariablement d'une rechute et devait recommencer à prendre les médicaments prescrits par son médecin et qui aidaient à soulager son affliction.

En parlant seul avec le garçon, j'appris que son père et sa mère se querellaient sans cesse, qu'il avait peur de les perdre et de n'avoir plus de foyer. Ce garçon était parfaitement normal. Le problème était la controverse et les querelles à la maison. Au cours d'une entrevue avec sa mère, je découvris qu'elle ressentait une forte hostilité envers son mari et qu'elle refoulait sa rage. Elle admit qu'elle lui lançait occasionnellement de la vaisselle et qu'à deux reprises, il l'avait battue. Le garçon était émotionnellement entre deux feux et conséquemment, il souffrait de la peur et d'un profond sentiment d'insécurité.

## Le fonctionnement miraculeux de la Puissance curative

Je réussis à réunir le père et la mère et je commençai à leur expliquer comment les enfants souffraient du climat mental et émotionnel de leur foyer. J'ajoutai que, sans aucun doute, ils aimaient tous les deux leur fils. Je leur fis remarquer que puisqu'ils l'avaient mis au monde, ils avaient une obligation morale et spirituelle de voir à ce qu'il y ait de l'amour, de la paix et de l'harmonie au foyer; de plus, ils devraient transmettre au garçon qu'il était aimé, voulu et apprécié. J'élaborai sur le fait que le garçon avait besoin d'un sentiment de sécurité et que lorsque l'amour et l'harmonie entre son père et sa mère seraient rétablis, sa condition asthmatique disparaîtrait. Cet asthme était le symptôme de sa peur et de son anxiété.

## La prière de guérison du père et de la mère pour leur fils

J'écrivis une prière pour le père et la mère et je suggérai qu'ils alternent l'un et l'autre pour prier le soir et le matin, sachant que lorsqu'ils priaient l'un pour l'autre et pour leur fils, la haine refoulée et l'animosité seraient dissoutes par l'Amour divin. La prière était la suivante:

*Nous sommes réunis pour prier ensemble, sachant que Dieu est et que sa Puissance curative infinie coule à travers chacun de nous. Nous irradions l'amour, la paix et la bonne volonté l'un pour l'autre. Nous voyons la présence de Dieu l'un dans l'autre et nous nous parlons avec bonté, amour et harmonie. Nous nous élevons l'un l'autre mentalement et spirituellement en sachant que la lumière, l'amour et la joie de Dieu sont exprimés de plus en plus chaque jour pour chacun de nous. Nous saluons la Divinité dans l'autre et notre mariage grandit plus béni et plus beau chaque jour. Notre fils est ouvert et réceptif à nos pensées d'amour. Il vit, bouge et place son être en Dieu. Il respire du souffle pur de l'Esprit et ses bronches, ses poumons et son système respiratoire en entier sont pénétrés et saturés par la Puissance curative infinie revitalisant et harmonisant son subconscient et rendant sa respiration libre, facile et parfaite.*

Ils répétèrent leur prière trois ou quatre fois chaque matin et soir, le mari le matin et l'épouse le soir.

### La prière de guérison que leur fils devait réciter

Voici la prière que le garçon récita chaque soir: «J'aime mon père et ma mère. Dieu les aime et prend soin d'eux, ils sont heureux ensemble. J'inspire la Paix de Dieu et j'expire l'Amour de Dieu. Je dors dans la paix et je me réveille dans la joie.»

Le père et la mère récitaient régulièrement la prière que je leur avais donnée et ils croyaient en la puissance miraculeuse de leur subconscient. Au bout de deux semaines, ils remarquèrent que le garçon était complètement libéré de ses crises d'asthme et il cessa tous les médicaments. Le garçon me dit qu'il avait eu un rêve la septième nuit suivant sa prière, rêve dans lequel un homme avec une barbe lui était apparu et lui avait dit: «Fiston, tu es bien, maintenant.» Il s'était réveillé et il avait raconté à son père et sa mère ce qui était arrivé et leur avait dit: «Je sais que je suis guéri.»

**Mon analyse et mon commentaire**

Je crois que lorsque les parents commencèrent à prier ensemble et l'un pour l'autre aussi bien que pour leur fils, les vibrations curatives de paix, d'harmonie et d'amour entrèrent dans l'esprit réceptif du garçon, ressuscitant l'intégrité et l'harmonie qui résidaient déjà dans son subconscient. Ils croyaient à ce qu'ils faisaient et savaient pourquoi ils le faisaient. De plus, la prière du garçon accéléra le processus de la guérison. En remplissant son esprit de foi et de confiance dans la Puissance curative de Dieu et avec l'amour pour ses parents, son subconscient dramatisa la guérison qui eut lieu dans un rêve réel. La Bible dit: *C'est en vision que je me révèle à lui, c'est dans un songe que je lui parle.* (Nombres 12;6.)

## LE MIRACLE D'UNE ATTITUDE DIFFÉRENTE CHANGE LES VIES

À la fin du dix-neuvième siècle, William James, reconnu comme étant le père de la psychologie américaine, dit: «La plus grande découverte de ma génération est que les êtres humains peuvent changer leur vie en changeant leur attitude d'esprit.» Cela signifie que vous pouvez avoir une plus grande mesure de santé, de vitalité, d'entrain et de gaieté si vous commencez à nourrir votre subconscient de modèles de vie d'harmonie, de joie, de force, de puissance, d'énergie, d'enthousiasme et de victoire.

**Comment une attitude changée guérit une maladie déconcertante**

Il y a quelques semaines, je parlais à environ 1 500 personnes rassemblées dans une salle de l'hôtel Frontier à Las Vegas, au Nevada. Je prononçais un discours sur *Comment développer la conscience de la guérison.* Après la conférence, un jeune médecin me raconta une expérience très intéressante et inspirante. Il dit qu'une nuit, il fut appelé à la maison des parents d'une fille malade qui ne croyaient pas à la maladie, à la mort ou aux médecins d'aucune école. Le père lui dit: «Ma fille est remplie de peurs et craint de mourir.» Le médecin examina la fille et dit que sa température était très élevée mais qu'elle serait bien, qu'il n'y avait rien d'alarmant et qu'elle n'était pas en danger de mort.

Elle lui demanda de prier avec elle et étant très religieux, il récita tranquillement avec elle le psaume 23. Elle ne voulait prendre aucun médicament parce que c'était contraire à sa croyance religieuse. Il me dit qu'il croyait qu'elle allait être bien et il l'imagina en parfaite santé.

Un mois plus tard, le frère de la fille, qui s'était éloigné des croyances religieuses de ses parents et de sa soeur et qui avait choisi de devenir un médecin et chirurgien prospère, visita le médecin qui avait traité sa soeur et voulut connaître la thérapie qu'il lui avait recommandée, parce qu'elle avait souffert auparavant de sérieuses crises d'épilepsie deux ou trois fois chaque semaine et qu'elle était maintenant libre de tous symptômes et malaises. Il ajouta qu'il avait essayé sans succès de lui faire prendre des médicaments anti-épileptiques pendant plusieurs années. Le jeune médecin raconta au frère de la patiente qu'il n'avait utilisé aucune thérapie autre que celle de lui suggérer qu'elle serait bien, qu'elle n'était pas en danger de mort et qu'elle se rétablirait immédiatement.

Ils furent tous les deux éberlués et ébahis pendant quelques moments. Le frère de la patiente romput le silence en disant: «Tout ce que je sais est que vous lui avez donné une transfusion de foi en la *Puissance curative de Dieu,* et votre suggestion positive a trouvé sa voie vers son subconscient qui l'a guéri.»

Ce jeune médecin me dit: «Si j'avais su qu'elle faisait de l'épilepsie, je n'aurais jamais été si positif et confiant dans mon approche avec elle. Je peux maintenant voir que mon image de santé parfaite et mon entière confiance dans son rétablissement furent communiquées à son subconscient et que mon attitude reliée à sa nouvelle attitude changea tout et amena une guérison parfaite.

«Un an a passé, dit-il, et elle n'a pas eu une seule crise. Elle est maintenant mariée et conduit sa propre voiture.» Les changements d'attitudes peuvent tout régler pour le mieux!

La Bible dit: *Ta foi t'a sauvé, va en paix.* (Luc 8;48.)

POINTS À RETENIR

1. L'intelligence cosmique qui créa votre corps connaît tous ses processus et ses fonctions et sait comment vous guérir.

2. Votre santé est ce que vous pensez tout au long de la journée. Fixez votre esprit sur des pensées de santé, d'intégrité, de vitalité, de puissance, de force et d'harmonie. Occupez votre esprit à ces pensées et votre corps reflétera votre pensée habituelle.

3. Les émotions négatives peuvent causer plusieurs maladies. Les émotions destructrices s'emmêlent dans votre subconscient et étant négatives, elles doivent s'exprimer négativement sous forme de différentes malfonctions organiques.

4. Lorsque vous en venez à une décision précise, le conflit mental est dissout. Lorsque vous refusez d'être dominé par les autres et décidez de mener votre propre vie, de prendre toutes vos décisions et d'entrer dans le pardon des autres, votre maladie particulière, mentale ou autre, peut très bien disparaître.

5. Tout ce que vous attachez à l'expression *Je suis,* vous le devenez. Pour une santé radieuse, affirmez fréquemment: «Je suis fort, puissant, radieux, heureux, joyeux et plein de vie.» Prenez cette habitude et vous obtiendrez de merveilleux résultats.

6. L'atmosphère mentale et émotionnelle du foyer affecte la santé et la disposition des enfants. Les enfants grandissent selon l'image et la ressemblance du climat mental dominant des parents. Chacun des parents devrait exalter Dieu dans l'autre et irradier l'amour, la paix et la bonne volonté l'un envers l'autre. En priant ensemble pour l'harmonie, la santé et la paix, en entourant les enfants de lumière, d'amour, de vérité et de beauté, l'atmosphère radieuse paisible du foyer sera conductrice de santé, de bonheur et de sérénité.

7. Les crises d'asthme chez les jeunes enfants peuvent être causées par les conflits émotionnels, la discorde et les disputes entre les parents. Ces conflits sont généralement exprimés par la peur et l'anxiété chez l'enfant et apportent trop souvent des crises d'asthme aussi bien que d'autres malaises.

8. Une merveilleuse prière pour l'asthme est la suivante: «J'inspire la *Paix de Dieu* et j'expire *l'Amour de Dieu.*» Répétez-la fréquemment avec une sincérité profonde et croyez en la Puissance curative de Dieu.

9. Le subconscient peut quelquefois vous révéler par un rêve réel que votre guérison a eu lieu. Au même moment, vous sentez subjectivement, par une connaissance intérieure, que vous êtes guéri.

10. Votre attitude transformée pour une vie et une santé parfaite sera transmise à une personne malade, amenant une résurrection de vitalité et d'intégrité dans le subconscient du patient.

11. Changez votre attitude et vous changerez votre vie. Les changements d'attitude peuvent tout changer. Il vous est fait selon ce que vous croyez.

# 15

# La puissance infinie d'amour et votre guide matrimonial invisible

Dieu est *Vie* et la *Vie* aime à se manifester en chacun de nous en harmonie, santé, paix, joie, abondance, beauté et action juste ou, en d'autres mots, en une vie plus abondante. Il y a quelque chose en chacun de nous qui nous rappelle notre origine et nous retourne à la *Source*. C'est notre mission et notre but d'agrandir cette mémoire pour qu'elle s'accroisse d'une étincelle en une flamme et que nous sentions et ressentions notre unité avec Dieu, la *Source* de toute vie. Il y a une faim et une soif profondes en vous de vous unir à la *Source de Vie infinie,* votre Créateur.

Lorsque vous êtes né, vous avez pleuré pour qu'on vous nourrisse. En grandissant, vous avez découvert que vous ne pourriez jamais être satisfait à moins de recevoir, en plus, une nourriture spirituelle telle l'inspiration, la direction, la sagesse et la force de la *Source infinie* de tous les bienfaits. Le *Principe de Vie infinie* recherche l'expression à travers vous et votre amour pour Dieu est exprimé par votre désir de vous sentir mentalement et spirituellement uni à la *Source* de tous biens et de toute puissance.

**Aimez vos images mentales**

Vos modèles mentaux et vos images sont rendus manifestes par votre nature d'amour, c'est-à-dire par votre attachement émotionnel. Toute idée ou désir que vous ressentez vraiment est assujetti et rendu manifeste dans votre univers. Tracez-vous un plan aujourd'hui en lisant ce chapitre, prêtez-lui votre attention et votre dévotion, adhérez-y régulièrement et systématiquement, et votre plan sera finalement ressenti et se réalisera dans votre existence. Ce que vous aimez, vous le devenez.

À de fréquents intervalles pendant la journée, imaginez mentalement ce que vous voulez être, faire et avoir. Faites-le avec amour, sincérité et surtout avec persévérance. Ne forcez pas, ne contraignez pas mais sincèrement et avec confiance, confiez votre image mentale à votre subconscient, sachant et croyant que votre subconscient répond à votre impression mentale.

## COMMENT UNE FEMME ATTIRA L'AMOUR DURABLE DANS SA VIE

Une jeune femme me demanda, il y a peu de temps: «Qu'est-ce qui ne va pas chez moi? Je sais que je suis bien éduquée, je suis directrice d'entreprise, je suis une bonne conversationniste et on dit que je suis séduisante; mais je n'attire que des hommes mariés et des alcooliques et les autres me font des propositions louches.

### Pourquoi elle se rejetait

Son cas est semblable à celui d'un grand nombre de femmes qui sont charmantes, pleines de verve, belles et d'excellent caractère mais qui se déprécient elles-mêmes. Elle avait un père cruel et tyrannique qui ne lui donna jamais d'amour ni d'attention. Il était du type puritain qui ne lui permettait pas de s'amuser le dimanche et qui la forçait aussi à aller à l'église trois fois chaque dimanche. De plus, il se querellait violemment avec sa mère. Elle se sentait rejetée par son père qui ne témoignait aucun intérêt à son travail scolaire ou à son bien-être en général.

Elle le détestait consciemment et s'en sentait coupable, ce qui créait dans son esprit une crainte qu'elle devait être punie. Le sentiment qu'elle devait être rejetée, qu'elle ne valait pas la peine d'être aimée et qu'elle n'était pas très attirante surgissait constamment de son subconscient.

## La mystérieuse loi de l'attraction

Qui se ressemblent s'assemblent. Puisque son sentiment de rejet et de peur d'être punie était un état mental, ceci lui attirait automatiquement des hommes frustrés, névrosés, traumatisés. La loi de l'esprit fonctionne et répond négativement ou positivement, selon les modèles de pensées ou les directives qui lui sont donnés.

## Comment elle nettoya son subconscient

Elle écrivit la prière qui suit et décida de remplir son subconscient des vérités incluses pendant cinq ou dix minutes chaque matin, après-midi et soir:

*Je sais que l'amour divin dissout toute chose qui ne lui ressemble pas. Je sais et je crois que tout ce que je médite consciemment est imprimé dans mon subconscient et sera exprimé dans mon existence. Mon Moi est Dieu. J'honore, j'exalte et j'aime le Moi de Dieu en moi. Lorsque j'ai tendance à me critiquer ou à me dénigrer, j'affirme immédiatement: «J'exalte Dieu en moi.» Je me pardonne d'avoir gardé des pensées de ressentiment et de haine envers mon père et je désire pour lui tous les Bienfaits divins. Lorsque je pense à mon père qui est maintenant dans l'autre dimension, je le bénis. Je continue à suivre ce processus jusqu'à ce qu'il n'y ait plus de blessures dans mon esprit. L'amour de Dieu coule maintenant en moi. Je suis entourée de la Paix de Dieu. L'Amour divin m'entoure, m'enveloppe et m'encercle. L'Amour infini est inscrit dans mon coeur et dans tous mes organes intérieurs. J'irradie l'amour envers tous les hommes et les femmes. L'Amour divin me guérit maintenant. L'Amour est un principe directeur en moi; il m'apporte une existence parfaite et des relations harmonieuses. Dieu est amour. «Celui qui habite dans l'amour habite en Dieu et Dieu en lui.»*

Elle continua cette méthode thérapeutique de prière pendant un mois et lui resta fidèle. À notre entrevue suivante, je retrouvai une jeune femme changée. Une énorme transformation avait eu lieu dans son attitude envers elle-même, la vie et le monde en général.

### Comment elle se prépara pour le mariage

Elle avait cessé de se rejeter, une attitude négative qui, même si elle s'était mariée, aurait détruit son mariage. Elle pria comme suit:

*Je crois que je peux avoir le mari idéal. Je sais que c'est un contrat réciproque. Je lui offre ma loyauté, ma dévotion, mon honnêteté, mon intégrité, le bonheur et l'accomplissement; et je reçois de lui la loyauté, la foi, la confiance, l'espoir, l'amour et l'accomplissement. L'Intelligence infinie en moi sait où l'homme idéal se trouve et il veut l'accomplissement pour moi. Je suis nécessaire, je me sens voulue et je suis grandement désirée par l'homme que l'Intelligence infinie a choisi pour moi. J'ai besoin de lui et il a besoin de moi. L'harmonie, la paix, l'amour et la compréhension sont présents entre nous.*

*L'Amour divin nous unit et nous nous complétons par-*
*faitement, spirituellement, mentalement et physiquement.*
*Je libère toutes mes peurs et mes tensions, j'ai confiance et*
*je crois que l'Intelligence infinie nous réunira. Je sais que*
*nous nous reconnaîtrons mutuellement lorsque nous nous*
*rencontrerons. Il m'aime et je l'aime. J'émets cette idée en-*
*tière à l'Esprit infini, rendant grâce maintenant à la Loi*
*universelle de l'Amour qui voit à son accomplissement.*

Elle répéta cette prière avec une profonde sincérité le soir et
le matin, croyant et sachant que ces vérités pénétraient les
murs de son subconscient.

### Comment l'amour attire l'amour

Deux mois passèrent. Elle rencontra plusieurs amis; aucun
d'eux ne s'avéra être de nature romantique. Lorsqu'elle
réfléchissait cependant, elle se rappelait que la Puissance infinie s'occupait de sa requête. Un jour qu'elle était en avion
pour affaires vers New York, un ecclésiastique beau et grand
s'assit près d'elle et engagea la conversation. Ils discutèrent
de diverses religions et elle découvrit que ses croyances
religieuses et politiques coïncidaient avec les siennes. Elle
assista à son service à l'église à New York et en moins d'une
semaine, ils se fiancèrent. Ils sont maintenant mariés et vivent
dans un très beau presbytère où l'harmonie règne en
souveraine.

## COMMENT UN HOMME D'AFFAIRES SURMONTA
## UNE JALOUSIE ANORMALE GRÂCE À L'AMOUR

L'amour unit; la jalousie divise. Milton disait: «La jalousie
est l'enfer de l'amoureux blessé.» Shakespeare disait: «Oh,
méfiez-vous de la jalousie, ce monstre aux yeux verts qui

reproduit l'image de son envie.» En d'autres mots, l'homme jaloux empoisonne son propre banquet puis il le mange.

Comme exemple de ceci, je peux peut-être parler d'un homme que je connais qui vivait un profond ressentiment envers un rival en affaires à cause du succès, de la promotion et de la popularité de ce dernier. J'expliquai à cet homme que le venin mortel de la jalousie dévastait ses organes vitaux puisqu'il avait des ulcères saignants, des hémorrhoïdes et qu'il souffrait de haute pression. De plus, le poison de la jalousie qu'il générait changeait la couleur saine de son visage en une teinte jaunâtre maladive et dévitalisait son être entier.

### Comment l'explication devint la guérison

J'expliquai ses difficultés à cet homme en ces termes: la Puissance infinie est unique et indivisible. Elle n'entre jamais en compétition car elle ne peut pas compétitionner avec elle-même. Il n'y a pas de division ou de discorde en elle. Il n'y a rien qui s'y oppose, qui la contrarie ou la corrompt car elle est la *seule Présence, Puissance, Cause et Substance*. L'*Être infini* n'est certainement jamais en compétition avec rien ni personne. La *Puissance infinie* est le *Principe de Vie* chez tous les hommes, cherchant à s'exprimer à travers chaque homme d'une façon unique et extraordinaire. Il y a trois milliards de personnes dans le monde et ce *Réservoir infini de Vie* se déverse en chacune d'elles.

Chaque homme peut s'approprier ce qu'il désire puisque la *Rivière infinie de l'Esprit* pénètre l'esprit de chacun de nous. Votre pensée, votre sentiment, votre attention et votre reconnaissance de cette *Puissance infinie* représentent votre ligne directe avec le Réservoir infini. Vous êtes le seul au monde à pouvoir rompre ce lien par votre manque de confiance et de foi.

## Faire le contact avec l'amour

Vous pouvez aller en vous-même et réclamer votre bien, votre santé, votre richesse, votre abondance, votre inspiration, votre direction, votre amour ou tout autre chose que vous voulez. Telle que vous l'attendez et y croyez, la réponse coulera en votre faveur. Vous ne voulez pas ce que l'autre possède. Réjouissez-vous de son succès. Vous pouvez avoir ce que vous voulez par la bonne pensée et le bon sentiment. En d'autres mots, en établissant l'équivalent mental de ce que vous voulez dans votre mentalité, vous récolterez votre récompense.

Être jaloux des talents, du succès, des réussites ou de la richesse d'un autre, c'est de vous diminuer vous-même et vous attirer encore plus d'insuffisance, de pertes et de limitations. Véritablement, vous rejetez la *Source divine* de tout bien en vous disant à vous-même: «Il peut posséder ces choses et être couronné de succès mais je ne peux pas.» C'est de l'ignorance et ça vous prive de la promotion et du succès. Puisqu'il n'y a qu'*un seul Esprit* et qu'*une seule Vie,* vous devez apprendre que lorsque dans votre pensée et vos sentiments, vous désirez sincèrement pour chaque homme, femme et enfant dans le monde, le droit à la vie, à la liberté, au bonheur et à toutes les bénédictions de Dieu, vous les aimez vraiment. L'amour (la bonne volonté) est l'accomplissement de la loi du succès, du bonheur et de la paix de l'esprit.

## Comment l'amour transforma sa vie

Cette discussion simple et pratique sur les lois de son esprit apporta à cet homme une nouvelle perspective et une nouvelle vision de la vie. Il me dit qu'il ne serait plus jamais jaloux et ne se nourrirait plus de ressentiment au sujet de la promotion ou du succès d'un autre homme, mais qu'il se réjouirait et serait content d'apprendre l'avancement d'un individu. Je lui donnai la prière suivante à utiliser fréquemment:

> *Je sais et je crois que tous nous avons un même Ancêtre, le Principe de Vie qui est le Père de tous; et tous les hommes sont frères. Je salue la Divinité dans chaque personne. Je sais que je suis formé et façonné par ce que j'aime. En déversant l'amour et la bonne volonté à tous, je sais que ceci purifie et nettoie mon subconscient de toute jalousie, ressentiment et peur. Je me réjouis du succès, de la promotion, de l'avancement et du bonheur de tous ceux qui m'entourent et de tous les gens partout. La Rivière de l'Amour coule à travers moi et je suis nettoyé et en paix.*

Lorsqu'une pensée de jalousie ou d'envie lui venait à l'esprit, il affirmait: «Je me réjouis de son succès. J'irradie l'amour et la bonne volonté pour lui.» Il en prit la bonne habitude et aujourd'hui, il a un succès extraordinaire, gérant sa propre entreprise. Et le plus surprenant, c'est que l'associé de qui il était si jaloux est maintenant son partenaire et qu'ils prospèrent au-delà de leurs plus grandes aspirations.

## COMMENT UTILISER CONSTRUCTIVEMENT LA PUISSANCE DE L'AMOUR

Il y a quelque temps, j'interviewais une femme qui me dit: «Je suis amoureuse d'un homme. Comment puis-je faire pour qu'il me demande en mariage?» Ceci est une mauvaise utilisation de la loi de l'amour. C'est le renversement de l'amour et cela indique un désir de contraindre mentalement ou de forcer l'autre à agir contre son gré. Ceci entrave le privilège reçu de Dieu et la prérogative de choisir et de décider pour lui-même.

Forcer mentalement quelqu'un à faire ce que vous voulez s'appelle de la magie noire. Cette puissance mentale est reconnue en Inde, par exemple, aussi bien qu'ailleurs. Je lui expliquai que si elle réussissait à avoir son homme par ce moyen, ça lui reviendrait comme un boomerang et elle le regretterait amèrement; de plus, il n'était pas ce qu'elle voulait d'un homme. Je lui donnai la prière spécifique suivante pour l'Action juste:

*L'Intelligence infinie en moi connaît mon désir pour le mariage. Elle connaît aussi l'endroit où se trouve le bon type d'homme pour moi. Il m'aime pour ce que je suis, et nous sommes mutuellement attirés. Je n'ai pas d'homme particulier en vue en priant mais je sais que l'Esprit infini nous réunit maintenant selon l'Ordre divin. Il arrive sans encombre; il y a l'amour, les intérêts et le respect mutuel. Je sais et je crois que «le mien viendra». Il n'y a aucune compétition dans la vie. Je suis reconnaissante pour le Principe d'Action juste dans ma vie maintenant et je sais que c'est accompli.*

Elle croyait sincèrement les paroles qu'elle affirmait. Elle mit dans cette prière un profond sentiment de conviction. Après quelques semaines, l'employeur pour qui elle travaillait depuis cinq ans la demanda en mariage. Ils se marièrent et ils sont idéalement faits l'un pour l'autre. Après la cérémonie du mariage, que je célébrai, elle dit: «N'est-ce pas curieux la façon dont la prière fonctionne? Je travaillais dans son bureau depuis cinq ans et il n'avait jamais semblé me remarquer. Vraiment, la prière change des choses.»

**Marcher en amour**

Chaque soir et chaque matin, méditez mentalement sur les vérités de la Bible. *Dieu est Amour* (I Jean 4;16). *Que tout se passe chez vous dans la charité* (I Cor. 16;14). *Suivez la voie de l'amour* (Éphésiens 5;2). *Celui qui demeure dans l'amour demeure en Dieu* (I Jean 4;16). *Tu aimeras ton prochain comme toi-même* (Lévitique 19;18). *Car tel est le message que vous avez entendu dès le début: nous devons nous aimer les uns les autres* (I Jean 3;11). *Vous avez sanctifié vos âmes, pour vous aimer sincèrement comme des frères* (I Pierre 1;22). *La charité ne fait point de tort au prochain. La charité est donc la loi dans sa plénitude* (Romains 13;10). *Bien-aimés, aimons-nous les uns les autres, puisque l'amour est de Dieu et que quiconque aime est né de Dieu et connaît Dieu. Celui qui n'aime pas n'a pas connu Dieu, car Dieu est Amour* (I Jean 4;7,8).

## POINTS À RETENIR

1. La vie, de par sa nature, aime à se manifester en harmonie, beauté, joie et paix; en d'autres mots, la *Volonté de Dieu* pour vous est une vie abondante ici et maintenant.

2. Vos modèles de pensées et vos images mentales se manifestent dans votre vie par la nature de votre amour et de votre attachement émotionnel. Quelle que soit l'idée que vous ressentiez avec émotion, elle se réalisera.

3. Cessez de vous rejeter. Ce qui se ressemble s'assemble. Réalisez que l'*Amour divin* dissout tout ce qui lui est dissemblable. Si vous avez un modèle de rejet ou un complexe de peur, remplissez votre subconscient de modèles vivifiants d'harmonie, d'amour, de paix, de joie et d'action juste, et vous connaîtrez une renaissance spirituelle.

4. Vous pouvez attirer le conjoint idéal en réalisant que l'*Intelligence cosmique* en vous attire maintenant la per-

sonne qui s'harmonise avec vous dans tous les domaines. Votre esprit profond concrétisera votre désir dans l'Ordre Divin.

5. La jalousie est un poison mental qui vous attire la perte, l'insuffisance et la misère. Elle peut être surmontée en réalisant qu'il n'y a pas de compétition dans l'*unique Esprit cosmique*. L'amour rejette la jalousie. Tout ce que vous voulez, vous pouvez le réclamer mentalement à la *Présence de Dieu* qui vous le donnera selon votre croyance à l'amour.

6. L'amour est une prolongation du coeur. Il signifie la bonne volonté. En souhaitant sincèrement la bonne volonté pour les autres, vous vous bénissez vous-même puisque vous êtes le seul penseur dans votre univers; ce que vous pensez au sujet de l'autre est connu et rendu manifeste dans votre vie. L'amour est l'accomplissement de la loi de la santé, du bonheur et de la paix de l'esprit.

7. Lorsque une pensée de jalousie vous vient à l'esprit, substituez-la immédiatement par la pensée suivante: «Je me réjouis du bonheur et du succès de cette personne.» Prenez cette habitude et des merveilles se produiront dans votre vie.

8. N'essayez jamais de manipuler mentalement une personne pour qu'elle agisse contre son bon vouloir. Ceci est un renversement de la loi de l'amour et s'appelle *la magie noire*. Une telle action a toujours un effet de boomerang et apporte la souffrance et le regret dans votre vie. Bénir un autre individu, c'est se bénir soi-même.

9. Il y a un *Principe d'Action juste* dans l'univers. L'*Intelligence cosmique* en vous vous donne tout ce que

221

vous réclamez, sentez et croyez. L'*Esprit cosmique* a des milliards de canaux par lesquels il déverse ses *Bénédictions infinies*. Vous êtes un canal de Dieu. Acceptez votre bien maintenant.

10. *Celui qui demeure dans l'amour demeure en Dieu* (I Jean 4;10).

# 16

# La puissance infinie
# de la croyance
# pour rendre possible l'impossible

La Bible dit: *C'est pourquoi je vous dis: tout ce que vous demandez en priant, croyez que vous l'avez déjà reçu, et cela vous sera accordé.* (Marc 11;24.) *«Si tu peux!... reprit Jésus; tout est possible à celui qui croit.»* (Marc 9;23.)

Croire, c'est accepter une chose comme étant vraie. Un grand nombre de personnes, cependant, croient que cet énoncé est absolument faux; conséquemment, elles souffrent dans la mesure de leur croyance. Si, par exemple, vous croyez que Los Angeles est en Arizona et que vous adressez votre lettre en conséquence, elle se perdra ou vous sera retournée. Souvenez-vous qu'accepter une idée, c'est véritablement y croire. Si quelqu'un vous suggère que vous êtes né pour réussir, pour vaincre les problèmes de la vie et que vous acceptiez ceci complètement, sans aucune réserve mentale, des miracles tangibles se produiront dans votre vie!

## LE MIRACLE DE LA CROYANCE IMPLICITE

Lorsque Alexandre le Grand, l'ancien monarque, était très jeune et impressionnable, sa mère, Olympia, lui dit que sa nature était divine et qu'il était différent de tous les autres garçons, parce qu'elle avait été fécondée par le dieu Zeus; il transcenderait donc toutes les limitations du garçon moyen. Le jeune homme crut fermement cette déclaration et grandit magnifiquement en stature, en puissance et en force; et sa vie fut une série d'exploits glorieux au-dessus de toute compréhension de l'homme ordinaire. Il fut surnommé *le Lunatique divin*. Alexandre accomplissait constamment l'imprévisible et l'impossible. Il devint un guerrier extraordinaire et un conquérant. Il acceptait complètement la croyance qu'il n'était pas le fils de son père humain, Philippe de Macédoine.

Il est écrit qu'à un moment, il mit ses bras autour d'un étalon sauvage, féroce et indiscipliné; il sauta sur lui sans selle ni bride; et le cheval devint aussi docile qu'un agneau. Son père et l'écuyer n'osaient même pas toucher ce cheval. Alexandre croyait cependant qu'il était divin et qu'il possédait une puissance sur tous les animaux. Il conquit le monde connu à cette époque et établit l'empire alexandrin. On dit qu'il pleura parce qu'il n'y avait plus d'autres nations à conquérir.

Je cite ceci seulement pour démontrer la puissance de la croyance qui vous rend capable de réaliser le soi-disant impossible. *Pour Dieu, tout est possible* (Matt. 18;26). Alexandre crut et dramatisa sa croyance en lui-même et manifesta à sa façon cette Puissance infinie dans son esprit, son corps et son accomplissement.

## POURQUOI VOUS DEVRIEZ SAVOIR QUE VOUS ÊTES DIVIN

Vous êtes un fils du Dieu vivant. La Bible dit: *N'appelez personne votre Père sur la terre: car vous n'en avez qu'un, le Père céleste* (Matt. 23;9). Vous êtes né de Dieu. Vous êtes divin. Vous avez la puissance, l'aptitude et la capacité d'accomplir des choses divines. *Moi, j'avais dit: «Vous, des dieux, des fils du Très-Haut, vous tous!.»* (Psaume 82;6.) Pensez à toutes les merveilles que vous pouvez accomplir en

*puissance à la difficulté et je me réjouis dans l'affirmation biblique: C'est moi, Yahvé, qui te rends la santé.* (Exode 15;26.)

Il pria à haute voix plusieurs fois par jour. Lorsque la peur et le doute venaient à son esprit, il affirmait immédiatement: «Dieu me guérit maintenant.» Au bout de trois mois, tous les tests furent négatifs. Il est aussi libre que le vent maintenant et il est de retour pour prêcher dans son église chaque dimanche et mercredi, une image de la santé parfaite.

*Tout ce que vous demanderez dans une prière pleine de foi, vous l'obtiendrez.* (Matt. 21;22.)

## COMMENT CROIRE EN LA PUISSANCE CURATIVE INFINIE ET ÊTRE SAIN

À travers les âges, on trouve de nombreux récits de guérisons spirituelles miraculeuses. Jésus guérit l'aveugle et le boiteux. Il était un homme né comme nous tous. La seule différence entre Jésus et tout autre homme est qu'il s'appropriait plus de divinité en méditant et en festoyant sur les grandes vérités de Dieu et qu'il avait un sentiment d'unité avec Dieu. Il disait à tous les hommes: *Voici les miracles qui accompagneront ceux qui auront cru: par mon nom, ils chasseront les démons, ils parleront en plusieurs langues... ils imposeront les mains aux malades et ceux-ci seront guéris.* (Marc 16;17,18.)

La puissance de guérison réside dans votre croyance qu'avec Dieu, tout est possible.

### Comment une mère rend l'impossible possible

Je reçus un appel d'une femme de la Louisiane. Son fils était à l'hôpital. Il avait fait une hémorragie cérébrale et on ne s'attendait pas à ce qu'il survive; il était considéré comme un cas désespéré. En parlant avec cette femme, je constatai qu'elle était profondément religieuse. Je lui demandai: «Croyez-vous que la Présence curative infinie qui créa son cerveau et son corps peut le guérir et lui redonner la santé?» Elle me répondit: «Je crois ce que la Bible dit: *Je vais rénover ta chair, guérir tes plaies, oracle de Yahvé.* (Jérémie 30;17.)

Nous priâmes ensemble au téléphone et acceptâmes que la *Puissance curative infinie* savait comment guérir le cerveau aussi bien que tous les organes du corps et connaissait exactement comment le réparer. Nous avons décrété qu'une atmosphère d'amour, de paix et d'harmonie entourait son fils et que tous les médecins et les infirmières étaient divinement guidés de toutes les manières. Je lui suggérai qu'elle visualise son fils à la maison, l'entendait lui dire dans son imagination réelle: «Maman, un miracle s'est produit. Je suis complètement guéri.»

La mère continua à prier et crut en la *Puissance curative de Dieu* pour rétablir son fils et elle l'imagina constamment à la maison, souriant et heureux. Lorsque la peur ou toute pensée anxieuse venait à son esprit, elle affirmait immédiatement: «Je crois, je crois, je crois que la *Puissance curative infinie* accomplit maintenant un miracle.» Ce jeune homme est aujourd'hui resplendissant de santé.

Personne ne sait exactement comment la *Présence curative* fonctionne. De la même manière, je ne sais pas, et personne ne sait exactement, comment un séquoia croît à partir d'une graine de séquoia. Cette femme crut absolument qu'il y avait une Intelligence infinie qui savait comment guérir et réparer le corps de son fils. Elle regarda au-delà des apparences et rendit l'impossible possible.

## COMMENT JETER UN VRAI REGARD À VOS CROYANCES

Demandez-vous: «Ce que je désire existe-t-il pour moi?» Croyez-vous qu'il vous est possible d'avoir de merveilleux amis et une bonne camaraderie? Croyez-vous que toute la richesse dont vous avez besoin soit accessible pour vous dans le plan universel des choses? Croyez-vous pouvoir trouver votre vraie place dans la vie? Croyez-vous que la volonté de Dieu pour vous est une vie abondante, une plus grande mesure de bonheur, de paix, de joie, de prospérité, une plus grande expression et une santé radieuse? Vous devriez répondre affirmativement à toutes ces questions, et croire et attendre le meilleur de la vie et le meilleur vous viendra.

## PLUSIEURS PERSONNES ONT DE FAUSSES CROYANCES CONCERNANT L'ABONDANCE DANS LEUR VIE

Plusieurs personnes pensent que la richesse, le bonheur et l'abondance ne sont pas pour eux, mais seulement pour le voisin. Ceci est dû à un sentiment d'infériorité ou de rejet. *Il n'existe pas de personne inférieure ou supérieure.* Chacun est Dieu, mais à l'état d'embryon: *Vous, des dieux, des fils du Très-Haut, vous tous!* (Psaume 82;6.)

Vous n'êtes pas limité par la famille, la race ou le conditionnement précoce. Des milliers de personnes ont transcendé leur environnement et ont levé la tête et les épaules au-dessus de la foule, même si elles n'étaient pas nées dans la richesse. Abraham Lincoln est né dans une cabane en bois rond; Jésus est le fils d'un charpentier; George Carver, l'éminent scientifique est né dans l'esclavage. L'abondance universelle de Dieu, cependant, est déversée sans égard pour la race, la croyance ou la couleur.

229

*Il vous est fait selon votre foi.* Si vous ne croyez pas que vous avez le droit au désir de votre coeur, sachant que la loi est impersonnelle et qu'elle répond toujours à votre croyance, vous ne pouvez pas croire que vous obtiendrez la réalisation de votre désir!

## VOUS AVEZ LE DROIT DE CROIRE EN UNE VIE RICHE ET JOYEUSE

Dieu, le *Bien cosmique,* vous donna abondamment de toutes les choses pour que vous en jouissiez et vous plaça ici pour glorifier Dieu et être heureux avec *lui* à jamais. Vous avez le droit parfait d'apporter tout bien dans votre vie, pourvu que votre motif ne soit pas égoïste et que vous désiriez pour chacun ce que vous désirez pour vous-même. Votre désir pour la santé, le bonheur, la paix, l'amour et l'abondance ne peut possiblement blesser personne. Vous avez droit à une merveilleuse position avec un merveilleux salaire, mais vous ne devriez pas convoiter le travail de personne d'autre. La *Présence infinie* peut vous guider à un emploi et un salaire raisonnables convenant à votre intégrité et votre honnêteté.

Croyez que vous avez droit au bien que vous recherchez et faites tout en votre connaissance pour l'apporter dans votre existence, et alors il se manifestera. Vous ne voulez rien dont une autre personne jouit. Les richesses infinies sont disponibles pour tous. La vie vous répond selon votre croyance en *elle* et selon l'utilisation que vous en faites.

## VOUS OBTENEZ CE QUE VOUS CROYEZ

Toutes vos expériences, vos conditions et vos événements proviennent de vos croyances. La cause et l'effet sont indissolublement unis et reliés ensemble. Votre façon habituelle de penser trouve son expression dans toutes les phases de votre vie. Croyez que vous avez un *Partenaire silencieux* qui vous réconforte, vous guide, vous dirige et qui tient devant vous une porte ouverte que personne ne peut fermer. Vivez dans une joyeuse attente du meilleur et invariablement, le meilleur vous viendra.

Chaque matin lorsque vous vous réveillez, affirmez tranquillement avec amour: «Voici le jour que le Seigneur fit. Je me réjouirai et j'y serai heureux. Des merveilles surviendront dans ma vie aujourd'hui. Je rencontrerai des personnes merveilleuses et des plus intéressantes. Je compléterai toutes mes tâches dans l'Ordre divin et j'accomplirai de grandes choses aujourd'hui. Mon *Partenaire silencieux* me révèle de nouvelles et meilleures voies pour accomplir toutes choses. Je sais que la Puissance infinie ne voit pas d'obstacle, ne connaît pas de barrière. Je crois que Dieu prospère en moi au-delà de mes rêves les plus insensés. Je sais et je crois que... *Tout est possible à celui qui croit* (Marc 9;23).»

## COMMENT UN HOMME EN FAILLITE RÉCLAMA SON BIEN

Il y a quelque temps de cela, j'interviewais un homme qui avait fait faillite. Il était déprimé et abattu. De plus, son épouse l'avait divorcé et ses enfants ne le voyait plus. Il disait que son épouse avait empoisonné leur esprit contre lui. Il racontait qu'il ne croyait pas en Dieu et qu'il était au bout de son rouleau.

Je lui fis remarquer que même s'il croyait que la terre est plate, elle n'en est pas moins ronde. De plus, il y a une Intelligence infinie en l'homme, qu'il le croit ou non. Je lui suggérai d'essayer une formule pendant dix jours et de revenir me voir ensuite. Je lui donnai la formule que voici:

231

*Je crois que Dieu est, et que Dieu est la Puissance infinie qui meut l'univers et qui créa toutes choses. Je crois que cette Puissance infinie habite en moi. Je crois que Dieu me guide maintenant. Je crois que les richesses de Dieu coulent en moi en avalanches. Je crois que l'Amour de Dieu remplit mon coeur et que son Amour remplit les esprits et les coeurs de mes deux fils. Je crois que les liens d'amour et de paix nous unissent. Je crois que je suis un immense succès. Je crois que je suis heureux, joyeux et libre. Je crois que Dieu est toujours rempli de succès et parce que Dieu est rempli de succès et qu'il habite en moi, je suis immensément couronné de succès. Je crois, je crois, je crois.*

Je suggérai qu'il affirme ces vérités à haute voix cinq minutes le matin, l'après-midi et le soir. Il accepta ma suggestion et la deuxième journée, il me téléphona pour me dire: «Je ne crois pas un mot de ce que je dis. C'est machinal et ça n'a aucune signification.» Je lui dis de persévérer dans cette discipline mentale. «Le simple fait que vous ayez commencé à affirmer et à pratiquer la formule spirituelle indique la foi du grain de sénevé mentionné dans la Bible, et en persévérant, vous enlèverez les montagnes de peur, d'insuffisance et de frustration.

Au bout de dix jours, il revint radieux et heureux. Ses deux fils l'avaient visité et il y avait eu une joyeuse réconciliation. Dans son nouveau mode de pensée, il gagna une petite fortune au sweepstake irlandais et il est maintenant de retour en affaires. Il découvrit que la Puissance infinie pour une vie parfaite s'appliquait aussi à lui!

Je savais que même si les paroles de la prière ne signifiaient rien pour lui au moment où il avait commencé, en continuant à méditer ces paroles et en les rappelant fréquemment à son esprit, il les enfoncerait dans son subconscient et elles deviendraient une partie intégrante de sa mentalité.

*...Car je vous le dis, en vérité, si vous avez de la foi gros comme un grain de sénevé, vous direz à cette montagne: «Déplace-toi d'ici à là», et elle se déplacera, et rien ne vous sera impossible.* (Matt. 17;20.)

## POINTS À RETENIR

1 . La Bible dit: *...Tout est possible à celui qui croit* (Marc 9;23).

2. Croire, c'est accepter quelque chose comme étant vrai. Vous pouvez croire un mensonge mais vous ne pouvez pas le prouver. Si vous croyez quelque chose qui est faux, vous souffrirez dans la mesure de votre croyance.

3. La mère d'Alexandre le Grand lui a dit qu'elle avait été fécondé par le dieu Zeus. Par conséquent, Alexandre crut que sa nature était divine et qu'il pouvait accomplir ce que les autres hommes croyaient impossible.

4. Croyez que vous êtes un fils de Dieu vivant et que vous êtes doté de la *Puissance infinie* et des *Qualités* de Dieu. Persévérez dans cette croyance et vous accomplirez des miracles dans votre vie. Croyez que vous pouvez accomplir toutes choses grâce à la Puissance de Dieu qui vous rend fort.

5. Si vous dites à la montagne (l'obstacle, la difficulté, le problème): *soulève-toi et jette-toi dans la mer* de l'oubli et que vous croyez que la *Puissance infinie* de Dieu peut faire ceci, cela se réalisera.

6. Prenez une citation biblique telle que: *C'est moi, Yahvé, qui te rends la santé* (Exode 15;26). Réitérez régulièrement cette vérité dans votre esprit et croyez en la Présence curative infinie et la guérison suivra. Il vous est fait selon votre foi.

7. Croyez qu'avec la Puissance curative infinie, tout est possible.

8. Croyez que la *Puissance infinie* qui créa votre corps et tous vos organes peut les réparer et les restaurer à l'intégrité. Affirmez-le et saturez votre esprit de cette grande vérité. *Je vais rénover ta chair, guérir tes plaies, oracle de Yahvé* (Jérémie 17;30). En vous rappelant fréquemment cette vérité, vous atteindrez la paix intérieure et la guérison suivra.

9. Regardez au-delà des apparences et méditez la réalité du désir satisfait et vous rendrez l'impossible possible.

10. Considérez vos croyances et remaniez-les à la lumière des grandes affirmations. Croyez à la *Bonté de Dieu,* à la *Direction de Dieu* et en une vie plus abondante.

 11. Vous aurez un *Droit divin* à toutes les richesses de la vie. Dieu est le donneur et le don, et toutes les choses sont disponibles si l'esprit l'est aussi. Acceptez votre bien maintenant et vivez dans une attente joyeuse du meilleur. Vous n'êtes pas limité par la famille, la race ou l'éducation précoce.

12. Dieu vous donna abondamment toutes choses pour en jouir. Vous êtes ici pour glorifier Dieu et être heureux avec Lui à jamais. Les richesses infinies de Dieu sont

disponibles à tous. La vie vous répond selon votre croyance et l'utilisation que vous en faites.

13. Toutes vos expériences, vos situations et vos événements proviennent de votre croyance.

14. Si vous affirmez que vous ne croyez pas aux principes universels et aux vérités de Dieu et qu'en même temps, vous commencez à affirmer que ce qui est vrai de Dieu est vrai pour vous, le simple fait que vous commenciez à affirmer la vérité est la foi d'un grain de sénevé qui grandit et croît lorsque vous continuez à réitérer et à prononcer ces vérités à votre esprit. Vous découvrirez que la croyance accomplit des merveilles et même des miracles dans votre vie.

# 17

# La puissance infinie inspire des relations harmonieuses avec les gens

J'écris ce chapitre alors que je me trouve sur la magnifique île de Maui, une île de la chaîne qui comprend l'état d'Hawaï. Les gens d'ici disent: «Vous n'avez pas vécu jusqu'à ce que vous ayez vu Hawaï.» Une des attractions extraordinaires de Maui est Haleakula, *La maison du soleil,* un volcan éteint qui s'élève à plus de trois mille mètres. Il offre des panoramas d'une splendeur à en couper le souffle et un aperçu de la vie authentique tranquille où les Hawaïens jettent encore leurs filets à la mer pour cueillir la nourriture essentielle et entretiennent leur lopin de terre de taro à la manière de leurs ancêtres.

Dans ces îles, vous rencontrez des gens de tous les groupes ethniques et de diverses croyances religieuses vivant ensemble harmonieusement, paisiblement et jouissant du soleil de l'*Amour de Dieu.* L'autochtone qui me conduisit de l'aéroport à l'hôtel Maui me dit que ses ancêtres étaient un mélange d'Irlandais, de Portugais, d'Allemand, de Japonais et de Chinois. Il souligna que les gens d'ici s'étaient mariés entre eux pendant des générations et que les problèmes raciaux étaient inconnus.

## COMMENT S'ACCORDER AVEC LES AUTRES

Une des principales raisons pour lesquelles les hommes et les femmes n'avancent pas dans la vie est leur incapacité de s'entendre avec les autres. Ils semblent les *flatter* à rebrousse-poil. Souvent, leur attitude de suffisance est blessante et dépourvue de tact. La meilleure façon de s'entendre avec les gens, c'est de saluer la Divinité dans l'autre personne et de réaliser que chaque homme et chaque femme est une représentation réduite de l'humanité entière. Chaque personne qui marche sur la terre est un fils ou une fille du Dieu vivant; et lorsque nous respectons et honorons la Divinité en nous, nous révérons et honorons automatiquement la Présence divine chez l'autre.

## COMMENT UN SERVEUR SE PROMUT LUI-MÊME

En visitant un hôtel dans la région de la plage Koanapali de Maui, j'eus une conversation intéressante avec un serveur. Il me raconta que chaque année, un excentrique millionnaire du continent visitait l'hôtel. Ce visiteur était un type avare qui détestait donner un pourboire au serveur ou au chasseur. Il était hargneux, grossier, malappris et tout à fait ordinaire. Rien ne pouvait le satisfaire, il se plaignait constamment à propos de la nourriture et du service et il injuriait le serveur qui venait le servir. Ce serveur me dit: «Je réalisai que c'était un homme malade. Notre kahuna (un prêtre hawaïen autochtone) disait que lorsque les hommes agissent de la sorte, c'est que quelque chose les ronge à l'intérieur, alors je décidai de le traiter avec gentillesse.»

### Comment la technique spéciale produisit des merveilles

Le serveur traita cet homme avec beaucoup de courtoisie, de bonté et de respect, affirmant silencieusement: «Dieu l'aime. Je vois Dieu en lui et il voit Dieu en moi.» Il mit en pratique cette technique pendant environ un mois à la fin duquel ce millionnaire excentrique dit pour la première fois: «Bonjour, Toni. Quel temps fait-il? Vous êtes le meilleur serveur que j'aie jamais eu.» Toni me dit: «Je me suis presque évanoui; je m'attendais à un grognement, pas à un compliment. Il me donna un billet de cinq cents dollars.» Ceci était le pourboire d'adieu de cet invité difficile qui, en même temps, s'organisa pour que Toni soit éventuellement nommé assistant-gérant d'un gros hôtel à Honolulu dans lequel il avait des intérêts financiers.

*Combien agréable une réponse opportune!* (Proverbes 15;23.)

Une parole est une pensée exprimée. Les paroles pensées de ce serveur furent adressées à l'âme (subconscient) de l'invité grincheux et acariâtre; elles attendrirent graduellement son coeur et il répondit par l'amour et la bonté. Toni prouva que de voir la Présence de Dieu dans l'autre et d'adhérer à cette grande vérité éternelle rapportent des dividendes fabuleux en relations humaines, sur les plans spirituel et matériel.

## COMPRENDRE TOUT, C'EST PARDONNER TOUT

Voici une maxime qui exprime une vérité profonde. J'eus une conversation intéressante avec une directrice sociale dans un des hôtels, ici à Maui. Elle souligna qu'occasionnellement, lorsqu'elle dit à un invité: «C'est une journée merveilleuse», l'invité répond: «Qu'est-ce qu'il y a de si bon? Je déteste la température ici, je n'aime rien de cet endroit.» Elle ajouta qu'elle savait que cet invité particulier avait des problèmes émotifs et était guidé par quelque émotion irrationnelle. Elle avait étudié la psychologie à l'Université d'Hawaï, à Honolulu, et se souvenait que son professeur lui avait souligné que puisque l'on ne se trouble pas ou que l'on n'a pas de ressentiment envers une personne bossue, par exemple, ou qui souffre de n'importe quelle autre infirmité congénitale évidente, de la même manière, on ne devrait pas être troublé par certaines personnes émotionnellement bossues et qui ont des mentalités enchevêtrées et troublées. On devrait avoir de la compassion pour elles. En comprenant leur état mental et émotionnel confus, il est facile de fermer les yeux et de leur pardonner.

## Comment la compréhension bâtit une immunité aux reproches

Cette jeune dame est gracieuse, charmante, affable et aimable et personne ne peut apparemment froisser son amour-propre. Elle s'est bâti une sorte d'immunité divine et elle réalise pleinement que personne ne peut la blesser, sauf elle-même. C'est-à-dire qu'elle a la liberté, comme chacun de nous, de bénir l'autre personne ou de nourrir du ressentiment envers celle-ci. Elle a choisi de bénir. Elle sait très bien que la seule personne capable de la blesser est elle-même, i.e. le mouvement de sa propre pensée qui est sous son contrôle complet.

## COMMENT LE SUBCONSCIENT D'UN MUSICIEN FIT DES MERVEILLES POUR LUI GRÂCE À LA PRIÈRE

Un jeune musicien, qui joue un instrument à cordes le soir pour payer ses études en droit à l'Université d'Hawaï, me dit qu'il avait connu la friction avec certains de ses professeurs et que sa mémoire lui avait fait défaut au cours des examens oraux et écrits. Ce jeune homme était tendu et plein de ressentiment. Je lui expliquai que son subconscient possédait une mémoire parfaite de tout ce qu'il avait lu et entendu mais que lorsque son conscient est tendu, la sagesse du subconscient ne rejoint pas la surface de l'esprit.

En conséquence, il pria comme suit chaque soir et chaque matin:

*L'Intelligence infinie de mon subconscient me révèle tout ce que j'ai besoin de savoir et je suis divinement guidé dans mes études. J'irradie l'amour et la bonne volonté envers mes professeurs et je suis en paix avec eux. Je réussis tous mes examens dans l'Ordre divin.*

Trois semaines passèrent et je reçus une lettre de lui me disant qu'il avait réussi brillamment son examen spécial et que sa relation avec ses professeurs était maintenant excellente.

Il réussit à incorporer l'idée de la mémoire parfaite pour tout ce qu'il avait besoin de savoir dans son subconscient, en réitérant les affirmations que je lui avais données. L'émanation de son amour et de sa bonne volonté était subconsciemment saisie par ses professeurs et il en résulta d'harmonieuses relations.

## COMMENT UN MÉDECIN SE GUÉRIT DE LA HAINE QUI LE DÉFORMAIT

Le cratère d'Haleakala, jadis une dépression béante et bouillante, est maintenant éteint et il n'en reste que le cône d'un violent volcan. J'étais avec un groupe de gens dont certains venaient d'endroits aussi diversifiés que Denver, Pittsburgh, Stockholm et l'Australie. Dans la limousine, je m'assis à côté d'un médecin australien et de son épouse. Il me dit que des éruptions volcaniques provoquant des problèmes semblables aux résultats de l'activité volcanique que nous regardions s'étaient produites dans sa vie parce qu'il avait l'habitude de juger les gens trop sévèrement.

L'essence de sa conversation était qu'il avait l'habitude de bouillir de rage en lisant ce que les journalistes écrivaient dans les journaux. Il écrivait des lettres grossières, méchantes et insultantes aux membres du parlement, aux chefs de différents mouvements, etc. Cette fermentation et ce tourment intérieurs lui causèrent des éruptions physiques qui se traduisirent en crises cardiaques sérieuses.

Il se rétablit de ces crises et réalisa qu'il les avait provoquées. Pendant qu'il était à l'hôpital, une infirmière lui donna le psaume 91 à lire en disant: «Voici le médicament dont vous avez besoin.» Il commença à s'en nourrir et graduellement, la signification de ces versets s'enfonça dans son âme (son subconscient). Il souligna qu'il avait appris depuis à s'adapter aux personnes, réalisant que chacun est constitué différemment et que nous vivons dans un monde d'êtres humains imparfaits qui s'efforcent d'arriver à la *Perfection de Dieu.*

### Ce que signifie la sincérité avec soi-même

Ce médecin avait appris à être sincère, comme il disait, avec le Moi de Dieu en lui et avait aussi appris à respecter le même Dieu dans l'autre personne. Shakespeare disait: «Face à toi-même, sois sincère; et alors, aussi vrai que le jour suit la nuit, il s'ensuivra que tu ne pourras tromper personne.» Ce médecin avait appris que comprendre, c'est pardonner. Il est encore intolérant face aux idées fausses mais pas face aux gens. Il demeure fidèle aux vérités de Dieu et aux principes éternels.

## COMMENT UN HOMME NOURRISSANT DE LA RANCUNE CONTRE DIEU APPRIT UNE GRANDE LEÇON DE RELATIONS HUMAINES

L'homme avec qui je suis allé nager dans l'océan juste à côté du magnifique et majestueux Hôtel Maui Hilton me dit: «Je suis ici pour m'éloigner de tout.» Il commença à critiquer tous les gens dans son organisation aussi bien que le gouvernement; il semblait même en vouloir à Dieu. En fait, il me dit qu'il croyait qu'il s'en tirerait mieux si seulement Dieu le laissait tranquille.

Il me demanda: «Qu'est-ce que je peux faire pour vivre de meilleures relations humaines et m'accorder avec ces personnes déplaisantes?» Je lui dis que la recherche avait démontré que la plus grande difficulté de plusieurs personnes dans les relations humaines était qu'elles ne regardaient pas en elles-mêmes pour trouver la cause. Le premier pas serait de s'accorder d'abord avec soi-même. Je lui fis remarquer que la plus grande partie de son problème avec ses employés et ses associés venait principalement de lui-même et que les autres personnes pouvaient en être les causes secondaires.

Il admit qu'il était rempli de rage et d'hostilité refoulées et qu'il était profondément frustré dans ses ambitions et ses plans de vie. Il commença à percevoir cependant que sa rage refoulée allumait une hostilité ou une haine sourde chez les personnes autour de lui; et il souffrait de leurs réactions que lui-même avait engendrées. Il découvrit que ce qu'il nommait l'animosité et l'hostilité de ses associés et de ses employés reflétaient sa propre hostilité et sa propre frustration dans une très large mesure.

Je lui donnai une ordonnance spirituelle qu'il devait suivre régulièrement et systématiquement:

*Je sais qu'il y a une loi de cause et d'effet et l'humeur que je produis m'est retournée dans les réactions des personnes et dans les conditions et les événements. Je réalise que mon tourment intérieur et ma haine font surgir la laideur et la haine chez les hommes, les femmes et aussi chez les animaux. Je sais que peu importe ce que je vis, cela doit avoir une affinité dans mon esprit conscient ou in-*

*conscient; car comme je pense et je ressens, ainsi je suis et ainsi j'exprime, je vis et j'agis.*

*Je m'administre ce médicament mental et spirituel plusieurs fois par jour. Je pense, parle et agis à partir du Centre divin en moi. J'irradie l'amour, la paix et la bonne volonté à tous ceux qui m'entourent et à toutes personnes partout. L'Infini repose en moi. La paix est la puissance au coeur de Dieu et sa Rivière de paix inonde mon esprit, mon coeur et tout mon être. Je ne fais qu'un avec la Paix infinie de Dieu. Mon esprit est une partie de l'Esprit de Dieu et ce qui est vrai de Dieu est vrai de moi. Je réalise et je sais qu'aucune personne, aucun endroit et aucune chose dans le monde entier n'ont la puissance de m'irriter, de m'ennuyer ou de me déranger sans mon consentement mental. Ma pensée est créatrice et je rejette consciemment et sciemment toutes les pensées et les suggestions négatives en affirmant que Dieu est mon guide, mon conseiller et mon gouverneur et qu'il veille sur moi. Je sais que Dieu est mon véritable employeur et que je travaille pour lui.*

*Mon vrai Moi est Dieu et ne peut pas être blessé, corrompu et contrarié. Je réalise que je suis celui qui m'a le plus blessé par mon autocritique, mon autocondamnation et mon dénigrement de moi-même. J'exprime de la bonté, de l'amour et de la joie à tous et je sais que la bonté, la vérité et la beauté m'accompagnent tous les jours de ma vie, car je vis à jamais dans la maison de Dieu.*

Trois semaines passèrent; puis il m'écrivit, me disant que le fait de pratiquer cette phase des lois mentales et spirituelles avait remplacé son état d'esprit intérieur chaotique de chaudron bouillonnant par la sérénité, la tranquillité et un sentiment d'imperturbabilité.

## COMMENT UNE ATTITUDE PHILOSOPHIQUE BÉNÉFIQUE ENVERS LES GENS FUT DÉVELOPPÉE

J'eus une conversation intéressante avec un homme d'affaires japonais à Hawaï qui philosophait en ces termes: «J'ai été en affaires pendant cinquante ans et j'ai beaucoup voyagé. J'ai appris que les gens sont fondamentalement bons et honnêtes. Je prends les gens tels qu'ils sont. Ils sont tous différents; ils ont différentes habitudes et différentes croyances religieuses; et ils sont le résultat de leur formation, de leur éducation et de leur pensée habituelle.

«Je sais que le fait de se plaindre des gens et de se fâcher contre les clients ne va pas les changer. Je ne les laisse pas me troubler, je refuse de permettre à quiconque de m'irriter. Je les bénis tous et je vais mon chemin.»

### Comment le recouvrement des sommes impayées fut fait

Il me montra une liste de dix clients qui lui devaient des sommes considérables d'argent et qui avaient ignoré ses nombreuses factures. Il dit: «J'ai prié pour chacun d'eux, le matin et le soir, en concevant que Dieu les fait prospérer dans tous les domaines et que Dieu guide, dirige et multiplie leur bien. Je prie pour que chacun paie ses factures de bon coeur et pour qu'ils soient honnêtes, sincères et bénis dans tous les domaines. J'ai commencé cette pratique il y a un mois; et huit d'entre eux ont payé, s'excusant du retard. Il en reste deux mais je sais qu'ils paieront aussi.»

Il découvrit que lorsqu'il avait changé son attitude mentale envers ses clients en dette, ceux-ci changeaient aussi.

## LA CLÉ DES RELATIONS HEUREUSES

Traitez les gens avec respect. Honorez et saluez la Divinité dans l'autre. Irradiez l'amour et la bonne volonté envers tous. Réalisez qu'une personne n'agit pas de manière querelleuse, hostile, antagoniste et bourrue si elle est bien adaptée. Reconnaissez qu'il y a un conflit mental quelque part. Comme le kahuna dit: «Quelque chose les ronge à l'intérieur.» Il y a une douleur psychique quelque part. Dieu est votre vrai Moi. Il ne peut pas être blessé, contrarié ou corrompu d'aucune façon. Si vous trouvez des gens difficiles dans votre vie, abandonnez-les à Dieu, proclamez votre liberté en Dieu et laissez Dieu s'occuper d'eux. Vous vous trouverez alors sur des prés d'herbe fraîche et près des eaux du repos.

## POINTS À RETENIR.

1. Une des raisons majeures pour lesquelles les hommes et les femmes n'avancent pas dans la vie de tous les jours est leur incapacité de s'accorder avec les autres.

2. Réalisez que chaque personne vivant sur la terre est un fils ou une fille de Dieu. En honorant et en respectant le Moi de Dieu en vous, vous honorerez automatiquement la *Présence divine* dans l'autre.

3. Un garçon qui servait un client avare, malappris et grossier qui l'injuriait, réalisa que l'homme était mentalement malade et par conséquent, il le traita avec bonté, courtoisie et respect. Chaque fois qu'il le servait, il affirmait: «Dieu l'aime.» L'attitude du serveur attendrit le coeur de ce client et lui rapporta des dividendes intéressants, i.e. une promotion et la richesse.

4. Tout comprendre, c'est tout pardonner. Lorsque vous comprenez la cause du tourment intérieur des autres, vous devenez plus compatissant et plus compréhensif. Vous comprenez que leurs actions sont le résultat de leur formation, de leur endoctrinement et de leur conditionnement.

5. Apprenez que personne ne peut vous blesser ou vous vexer sauf par le mouvement de votre propre pensée qui est sous votre contrôle complet.

6. La friction, le tourment intérieur et la rage gêneront vos études et votre mémoire puisque la sagesse de votre esprit profond ne s'élève pas jusqu'à l'esprit conscient lorsque ce dernier est tendu et antagoniste. Versez l'amour et la bonne volonté sur les autres jusqu'à ce que vous les rencontriez dans votre esprit et que vous soyez en paix.

7. La rage et la haine intenses peuvent causer des crises cardiaques et d'autres états destructifs. Pour neutraliser ces émotions négatives, méditez les vérités du psaume 91, les laissant pénétrer dans votre subconscient et de là, bannir l'hostilité et la rage refoulée. Restez fidèle aux vérités de Dieu en vous et vous marcherez joyeusement dans les sentiers de la paix.

8. Le premier pas pour établir une bonne relation avec les gens est de regarder en vous-même et de vous demander: «Serait-il possible que l'hostilité et l'animosité des autres envers moi reflètent ma propre hostilité et ma propre frustration pour une très grande part?» Changez-vous et vous changerez votre relation avec les gens.

9. Il y a une loi de cause et d'effet qui prévaut toujours. L'humeur que vous engendrez vous est retournée dans les

réactions des gens et dans les conditions et les événements de votre vie.

10. Apprenez à accepter les gens tels qu'ils sont et n'essayez pas de les changer. Les gens agissent selon leur formation, leur conditionnement et leur pensée habituelle. Bénissez-les et allez droit votre chemin.

11. Si des gens vous doivent de l'argent, priez pour leur prospérité, leur succès et leur bonheur. Réalisez qu'ils sont honnêtes, sincères et qu'ils paieront leurs dettes dans l'Ordre divin.

12. La clé des relations harmonieuses avec les gens est d'avoir un grand et sain respect pour la Divinité en vous-même et en même temps, respecter et saluer la Divinité dans l'autre.

13. Si une personne est difficile à vivre, abandonnez-la complètement à Dieu et proclamez votre liberté en Dieu. Les désagréments disparaîtront de votre vie. *Toutes tes entreprises réussiront...* (Job 22;28.)

# 18

# Les avantages de voyager
# avec Dieu

Récemment, je faisais une tournée de conférences en
Europe, visitant le Portugal, la France, l'Angleterre et
l'Irlande. Je voyageais vers l'Est partant de la Californie, et
en descendant de l'avion à New York, je rencontrai un vieil
ami, Jack Treadwell, auteur d'un livre populaire: *The Laws
of Mental Magnetism* (les lois du magnétisme mental). Il me
raconta l'histoire d'un homme âgé qui était devenu infirme à
cause de l'arthrite à l'hôtel où il vivait. Il lui avait suggéré
d'essayer la thérapie de la prière et lui avait donné une prière
spéciale à utiliser: «L'Amour curatif de Dieu transforme chaque atome de mon être dans un modèle d'intégrité, de beauté
et de perfection de Dieu.»

Cet homme affirma ces vérités pendant dix ou quinze
minutes chaque jour. Au bout d'un mois, il marchait librement, joyeusement et facilement. Tous les dépôts calcaires
qui causaient l'arthrite furent éliminés. Il avait décidé de
voyager avec Dieu mentalement, spirituellement et physiquement.

Il n'y a rien de miraculeux dans cette guérison. La *Présence
curative infinie* qui créa son corps avait toujours été en lui,
mais il l'avait mal utilisée. Jack Treadwell lui enseigna comment activer ce don de Dieu en lui. C'est ce que la Bible indique dans le verset: *C'est pourquoi je t'invite à raviver le don*

*que Dieu a déposé en toi...* (II Timothée 1;6.) Lorsque vous marchez, parlez et voyagez avec Dieu, tout ce qui lui est dissemblable est dissout dans votre esprit, dans votre corps et dans les circonstances.

## COMMENT VOYAGER AVEC DIEU

Lorsque je fais un voyage ou que je pars en tournée de conférences, je prie de la façon suivante:

*Mon voyage est le voyage de Dieu et toutes ses Voies sont plaisantes et tous ses sentiers sont paisibles. Je voyage sous la direction de Dieu guidé par l'Esprit-Saint. Ma route principale est le Chemin Royal des Anciens, le sentier central de Bouddha, la porte directe et étroite de Jésus, la Grande Route du Roi, car je suis le Roi de mes pensées, de mes sentiments et de mes émotions. J'envoie mes messagers appelés l'Amour, la Paix, la Lumière et la Beauté de Dieu devant moi pour me rendre ma route droite, belle, joyeuse et heureuse. Je voyage toujours avec Dieu, rencontrant Ses messagers de paix et de joie partout où je vais. Je sais qu'en gardant les yeux fixés sur Dieu, il n'y a aucun mal sur mon passage.*

*En voyageant en avion, en autobus, en train, en automobile ou à pied, l'emprise de Dieu m'entoure toujours. C'est l'armure invisible de Dieu et je voyage d'un lieu à l'autre librement, joyeusement et avec amour. L'Esprit de Dieu veille sur moi, faisant de tous les chemins dans les cieux ou sur la terre, une grande route pour mon Dieu. C'est merveilleux!*

**Pourquoi plusieurs personnes semblent mener une vie de charme**

J'ai donné des méthodes de prière à des centaines de personnes qui voyagent outre-mer, et elles mènent réellement une vie enchanteresse en saturant leur esprit et leur corps des vérités ci-dessus qui s'imprègnent dans leur subconscient, et leur esprit profond répond en conséquence. «*Ta foi t'a sauvé; va en paix.*» (Luc 7;50.)

## POUVEZ-VOUS CROIRE AUX MIRACLES?

Mon premier arrêt après avoir quitté New York fut Lisbonne. Le Portugal est une terre de montagnes accidentées, de plaines onduleuses, de fermes et de hameaux du treizième et du quatorzième siècles. J'engageai un guide et louai une auto, et avec une de mes nièces de Liverpool, nous avons roulé jusqu'au sanctuaire de Fatima. Notre guide expliqua l'histoire de Fatima en mentionnant que la sainte Vierge était apparue à trois enfants le treize mai 1917. Leurs noms étaient Lucie, François et Jacinthe. Un éclair de lumière avait soudainement entouré les enfants et comme ils regardaient vers l'arbre, ils y virent le visage de *Notre Dame* plus brillant que le soleil. Lucie avait demandé à la *Dame* qui elle était et la réponse avait été: «Je viens du Ciel. Revenez ici six fois à cette même heure, le treize de chaque mois.»

Les enfants furent harcelés et accusés de mensonge; cependant, des milliers de gens les crurent. Mais seulement les enfants pouvaient voir la sainte Vierge. Les malades furent guéris et des miracles de guérison eurent lieu à l'endroit donné de l'apparition de la *Dame*.

La dernière apparition de *Notre Dame* eut lieu le treize octobre. Il pleuvait et un éclair de lumière annonça l'apparition de la sainte Vierge. Elle prédit que la guerre, alors dans sa troisième année, finirait bientôt, et fit aussi d'autres déclarations prophétiques. Notre guide dit que ce jour-là, environ 40 000 personnes avaient été témoins de la danse du soleil. La pluie avait soudainement cessé et toutes les personnes étaient tombées à genoux car elles avaient vu le soleil entouré d'une couronne brillante, éclatante et tournant comme une roue de feux d'artifices.

### Une guérison observée sur le fait

Nous visitâmes la Chapelle des Apparitions. Notre guide nous fit remarquer une femme dont la jambe droite était paralysée. Elle avait des béquilles et était accompagnée de son fils. Notre guide interpréta sa prière qu'elle récitait en portugais comme suit: «Quand je m'agenouillerai à l'endroit où la Vierge est apparue, je serai guérie, louange à Toi, Seigneur.» Nous l'avons surveillée lorsqu'elle s'est agenouillée sur un genou, tenant un rosaire dans sa main. Elle pria la Vierge avec ferveur et environ quinze minutes plus tard, nous l'avons vue se lever et marcher librement pour sortir de la chapelle avec des larmes de joies dans les yeux. La Bible dit... *Tout est possible à celui qui croit.* (Marc 9;23.)

## LA SIGNIFICATION D'UN MIRACLE

Un miracle n'est pas une violation d'une loi naturelle. Un miracle ne témoigne pas de ce qui est impossible; il témoigne de ce qui est possible. Un miracle est un événement qui se produit lorsqu'une personne apporte une loi plus grande que celles que l'homme avait connues jusque-là.

### La cause de sa guérison

La femme à laquelle nous référons plus haut fut guérie à cause de sa croyance et de son attente. Elle croyait que si elle pouvait seulement être à l'endroit où elle croyait que la Vierge était apparue, elle serait guérie. Sa croyance libéra la *Puissance curative* de son subconscient. La loi de la vie est la loi de la croyance et la croyance pourrait se résumer par une pensée dans votre esprit. Croire, c'est accepter quelque chose comme étant vrai. Tout ce que votre esprit conscient et raisonné accepte comme étant vrai engendre une réaction correspondante de la part de votre subconscient qui ne fait qu'un avec l'*Intelligence infinie* en vous. La foi aveugle ou la croyance de cette femme l'a guérie.

## LA PUISSANCE CURATIVE INFINIE ET COMMENT L'UTILISER

La vraie méthode de guérison spirituelle ne tient pas dans quelque magie, telle l'imposition des mains, la visite aux sanctuaires, le toucher des reliques, un bain dans certaines eaux ou un baiser aux ossements de saints, mais plutôt dans la réponse mentale de l'homme à la *Présence curative infinie* de l'âme qui le créa, lui et toutes les choses dans l'univers.

**La guérison spirituelle n'est pas la même chose que la guérison par la foi.**

Un guérisseur par la foi peut être n'importe qui guérissant sans aucune connaissance ou compréhension scientifique des puissances du conscient et du subconscient. Il peut affirmer qu'il possède quelque don magique pour guérir et la foi aveugle de la personne malade croyant en ses pouvoirs peut donner des résultats positifs.

Le spécialiste de thérapie spirituelle doit savoir ce qu'il fait et pourquoi il le fait. Il a confiance à la loi de la guérison. La loi de l'esprit est que tout ce que vous imprégnez dans votre subconscient sera exprimé de la même manière comme forme, fonction, expérience et événement.

## LA SIGNIFICATION DE L'APPARITION DE LA SAINTE VIERGE

On réfère très souvent à la Vierge en l'appelant Marie. Le mot latin *mare* signifie la mer. Le mot *vierge* signifie pure, et *vierge mare* signifie mer pure. C'est l'aspect féminin de Dieu. Cet aspect féminin ou cet esprit subjectif, en symbolisme ancien, est appelé Isis, dont aucun homme ne peut soulever le voile, Sophie chez les Perses, Diane chez les Éphésiens; et elle est aussi appelée Istar Astarte, Mylitta et Maya, la mère de Bouddha. Le terme *Mère de Dieu* est habituellement donné à la Madone. Bien sûr, Dieu n'a ni père ni mère. Dieu est le *Principe de Vie* qui n'est jamais né et qui ne mourra jamais. La *Mère de Dieu* signifie chérir, garder ou nourrir ce qui est bien dans votre esprit. C'est une attitude mentale. La *Mère de Dieu* ou la *Madone* ou *Notre Dame* est un mythe pur qui est une projection psychologique d'une vérité signifiant l'amour, la beauté, l'ordre, l'esprit qui donne naissance à Dieu ou à toutes les bonnes choses.

### Les apparitions à Lourdes et à Fatima étaient-elles des créations subjectives de l'esprit?

Si je vous hypnotisais et que, alors que vous seriez en état d'hypnose, je vous suggérais qu'en vous faisant sortir de la transe, vous verriez votre grand-mère et lui parleriez et qu'elle vous ferait part de déclarations prophétiques pour vous et pour le monde, votre subconscient projetterait l'image de votre grand-mère et vous la verriez et lui parleriez. Votre subconscient exprimerait les prédictions et les pronostics basés sur la nature de ma suggestion. Rappelez-vous, vous avez une image-mémoire de votre grand-mère dans votre subconscient. Ce ne serait pas vraiment votre grand-mère qui, sans aucun doute, est occupée dans l'autre dimension de la vie. Vous expérimenteriez simplement une hallucination subjective. Les

254

autres individus présents dans la pièce où vous seriez hypnotisé ne pourraient pas voir votre grand-mère; vous seriez le seul capable de voir votre pensée projetée en image. À Fatima, on rapporte que *seulement les enfants ont vu la Vierge; la multitude ne l'a pas vue.*

## La vision de Bernadette à Lourdes

Selon certaines autorités, l'enfance de Bernadette fut solitaire. Elle souffrait de crises d'asthme et était émotionnellement complexée. L'excitation et l'attente de son esprit de voir *Notre Dame* agirent comme une suggestion auto-hypnotique. Son subconscient projeta l'image d'une femme qui était conforme à la statue dans son église ou à l'image de la Vierge dans son livre de prières. Ses expériences semblèrent être projetées de l'intérieur de son propre esprit. Les hallucinations sont basées sur le conditionnement de votre esprit. N'importe qui désirant ardemment voir un être saint peut conditionner son subconscient pour voir *son* concept de la Vierge Marie ou tout autre personnage d'après les statues, les images d'un livre de prières ou des peintures représentatives.

## POURQUOI LES PROPHÉTIES SE RÉALISÈRENT

La Dame à Fatima dit à Jacinthe et à François qu'ils mourraient de l'influenza et que Lucie deviendrait religieuse. Tout ceci arriva. Souvenez-vous, votre avenir est déjà dans votre esprit et un bon médium peut aussi prédire votre avenir avec un certain degré de précision. Votre avenir est votre état d'esprit actuel rendu manifeste mais par la prière, vous pouvez changer le futur en pensant du point de vue des principes universels. Changez votre pensée de vie pour la conformer à l'harmonie, la santé, la paix, l'amour, l'action juste et la Loi de l'Ordre divin et toutes vos voies seront charme et tous vos sentiers seront paix. Aucune prédiction négative ne pourra alors se réaliser. Dans ce cas, ce fut le subconscient des enfants qui guida les prédictions vers leurs réalisations.

## La base des miracles telle qu'observée en Europe

Il y avait beaucoup de turbulence, de conflits et de tapage pendant mon voyage vers Paris, mais je reçus une réception plaisante du docteur Marie Sterling et de ses associés. Elle est directrice de l'Unité Universelle, 22 rue de Douai, à Paris et elle a traduit plusieurs de mes livres en français. Elle dirige un groupe de prière à son centre et ils accomplissent des guérisons surprenantes et obtiennent des réponses à leurs prières. Des demandes viennent de partout en France. Je parlai à un très grand et distingué groupe d'hommes et de femmes là-bas et je reçus une ovation mémorable.

## La base d'une guérison de cécité

Une jeune femme qui assistait à une de mes conférences à Paris vint me consulter à l'hôtel Napoléon au sujet d'un problème émotionnel, et au cours de la conversation, elle me dit que lorsqu'elle était arrivée à Paris en provenance d'une des provinces, elle était employée comme couturière. Ses employeurs étaient cruels et durs envers elle. Elle les détestait beaucoup et plus tard, elle s'aperçut que sa vue baissait. Elle consulta un ophtalmologiste qui lui suggéra de laisser la couture et de retourner à la vie de campagne. Elle refusa et son problème visuel empira. Elle alla voir un médecin qui lui dit de quitter son emploi et d'en trouver un autre, que son subconscient tentait de se fermer à l'environnement désagréable et à ses employeurs. Elle lui obéit. Elle trouva un autre emploi où elle était heureuse et sa vue se rétablit graduellement.

Elle me dit qu'elle détestait véritablement la vue de ses anciens employeurs. Alors, bien sûr, son subconscient répondait en voyant à ce qu'elle ne puisse pas les voir, ni eux ni son entourage. Elle apprit finalement à bénir ses anciens employeurs et à continuer sa route.

Dans le cas d'une vue déficiente, il est sage de vous demander pourquoi votre subconscient prend vos yeux comme boucs émissaires. Que désirez-vous exclure ou vous empêcher de voir dans votre vie? La réponse est en vous et la solution l'est aussi.

### Son *Compagnon divin* lui sauva la vie

Une journaliste française vint me chercher à l'aéroport d'Orly parce que les chauffeurs de taxi de Paris étaient en grève. Elle est une de mes vieilles amies et utilise constamment la même prière que moi en voyageant et que j'ai incluse dans la première partie de ce chapitre. Elle dit que cette prière spéciale fait partie intégrante d'elle autant que ses cheveux.

L'année dernière, elle se préparait pour un voyage en Afrique du Nord, en Grèce et quelques autres pays méditerranéens. Un soir, elle dit que je lui apparus dans un rêve et lui dis d'attendre, de remettre son voyage, car l'avion qu'elle allait prendre recontrerait un désastre. Elle annula son voyage et l'avion en question tomba. Elle me dit qu'elle avait compris la façon dont son esprit profond fonctionnait; i.e., son subconscient lui projeta l'image d'une personne en qui elle avait confiance et à qui elle obéirait. Véritablement, c'était la *Présence de Dieu* en elle qui l'avait protégée. Son *Compagnon divin* la gardait dans toutes ses voies. Ceci est la *Présence de Dieu* en nous tous. *Yahvé dit:... c'est en vision que je me révèle à lui, c'est dans un songe que je lui parle* (Nombres 12;6).

## COMMENT UTILISER LA PUISSANCE DE VOTRE SUBCONSCIENT POUR FAIRE FORTUNE

Le docteur Marie Sterling m'informa que la vente de sa traduction française de mon livre *The Power of Your Subconscious Mind* dépasse largement toutes les attentes et que les lettres entrent à flots dans son sanctuaire au 22 de la rue De Douai, à Paris, attestant de remarquables guérisons et de réponses à la prière. Un Parisien me dit qu'il avait fait fortune en suivant une technique décrite dans l'édition française de mon livre, affirmant pendant environ dix minutes avant de s'endormir: «La richesse est mienne, la richesse est maintenant mienne» encore et encore, comme une berceuse, jusqu'à ce qu'il s'endorme. Il réussit, par la répétition, à en imprégner son esprit et il dit que tout ce qu'il touchait semblait être comme la touche de Midas; il fit fortune. À une occasion, il gagna à une loterie valant $60 000 en argent américain. Il croyait sincèrement en la puissance de son subconscient pour le guider, le diriger, le guérir et l'inspirer et celui-ci répondit selon sa croyance.

### IL Y A TOUJOURS UNE RÉPONSE

Pendant mon voyage de Paris à Londres pour une série de conférences au Caxton Hall et aussi à Bournemouth, un centre touristique dans le Sud de l'Angleterre, une jeune Française s'assit à côté de moi et dit: «Je vais à Londres pour écouter vos conférences, car je veux en savoir plus sur les puissances de mon esprit. Au cours d'une de vos conférences à Paris, vous disiez que tout ce que vous imprimez dans votre subconscient sera exprimé et accompli.» Alors elle ajouta qu'elle décrétait: «Je vais à Londres dans l'*Ordre divin* pour entendre une série de conférences du docteur Murphy et tout me sera fourni par mon esprit profond.» Elle eut l'occasion de parler à son frère, médecin à Paris, au sujet de son intérêt sur le subconscient et il lui dit: «Soeurette, pourquoi ne vas-tu pas à Londres pour assister à une série de conférences?» Il lui donna environ deux mille francs, plus que ce qui était nécessaire pour le voyage, alors même qu'elle avait pensé antérieurement que son frère serait hostile à cet enseignement.

Les voies de votre subconscient sont imprévisibles. Elle découvrit, comme des milliers d'autres l'ont fait, qu'il y a toujours une réponse... *Cherchez et vous trouverez; frappez et l'on vous ouvrira* (Matt. 7;7). Je pourrais peut-être ajouter que cette jeune fille allait à l'école et qu'elle n'avait pas d'argent.

## Comment une personne gagna trois fois au derby anglais

Pendant une de mes conférences au Caxton Hall, à Londres, où j'avais donné une série de conférences environ à tous les deux ans au cours des vingt dernières années et dans une région où je me réjouis d'avoir une foule d'amis, un jeune homme m'adressa ainsi la parole: «J'espère que vous ne pensez pas que j'utilise la puissance de mon esprit de la mauvaise façon mais trois mois avant notre derby annuel, j'affirme chaque soir avant de m'endormir: *le gagnant du derby* et je me berce pour m'endormir avec un mot *gagnant,* sachant que mon subconscient me révélera la réponse.» Ces trois années consécutives, il a vu le gagnant dans un rêve la nuit avant la course et l'année dernière, il a parié mille livres sterling, ce qui lui a rapporté une jolie somme d'argent. Son subconscient répondit à sa foi selon ses puissances. Sa vision préalable de la course est appelée la préconnaissance et c'est une faculté de l'esprit.

Je lui expliquai que le subconscient est amoral; c'est une loi, et une loi n'est ni bonne ni mauvaise. Cela dépend comment vous l'utilisez. Il n'est pas mal de voir dans son subconscient les questions d'un examen avant de le faire; il n'y a rien de mal à voir le gagnant d'une course de chiens ou de chevaux. Il y a seulement un esprit subjectif et il est dans le chien, le chat et dans tout autre chose aussi.

## COMMENT LA CULPABILITÉ DISSOUTE GUÉRIT UN BRAS ULCÉRÉ

Un jeune chirurgien vint me voir à l'hôtel St-Ermin à côté du Caxton Hall, une salle de conférence. Il venait d'assister à une de mes conférences qui traitait de *Pourquoi vous pouvez être guéri*. Il me montra son bras gravement ulcéré. Il avait essayé toutes sortes de thérapies en vain: l'ulcère refusait de guérir. Je lui demandai ce qu'il avait fait avec sa main droite qui puisse lui causer un sentiment de culpabilité et il répondit honnêtement, avec tristesse: «Lorsque j'étais interne, j'ai pratiqué plusieurs avortements pour des raisons monétaires. Dans ma religion, c'est un meurtre et je me sens coupable et plein de remords.» Je lui demandai: «Le feriez-vous maintenant?» Il répondit: «Bien sûr que non. J'aide les gens à se guérir, maintenant.»

Je lui dis qu'il se punissait lui-même; que l'homme qui pratiquait ces interventions n'existait plus, puisque chaque atome de son corps change tous les onze mois. De plus, il était complètement changé mentalement, émotionnellement et spirituellement et en fait, il punissait un homme innocent. Dieu ne condamne personne et lorsque nous nous pardonnons, nous sommes pardonnés. Se condamner soi-même, c'est l'enfer; se pardonner, c'est le ciel.

Ce chirurgien compris immédiatement l'idée. Le passé était mort. Il se considéra innocent. Avant la fin de ma semaine de conférences, il me montra sa main et son bras qui étaient devenus complètement sains et parfaits. Paul disait: ... *Je dis seulement ceci: oubliant le chemin parcouru, je vais droit de l'avant, tendu de tout mon être, et je cours vers le but, en vue du prix... pour remporter le prix...* (Phil. 3;13,14.)

## «Kevin des miracles»

Glendaloch est connu traditionnellement comme le site des *Sept Églises* en Irlande. Saint Kevin passa environ quatre ans d'austérité incroyable ici, vivant d'herbes, de racines et de petits fruits trouvés ici et là. Il était né en 498 et mourut en 618. Il est appelé «Kevin des miracles».

Un fermier fut accidentellement frappé à l'oeil par une pierre. L'homme perdit l'usage de l'oeil touché et souffrit le martyr. Saint Kevin toucha l'oeil blessé avec une fervente invocation à Dieu. Immédiatement, la blessure guérit, le flot de sang cessa et la douleur disparut. L'homme recouvra la vue. Il est dit que ce miracle se produisit devant plusieurs membres de la communauté qui en furent grandement édifiés.

## Un endroit de pèlerinage

Une visite au lit de saint Kevin est une partie essentielle du pèlerinage à Glendaloch. Le lit est une cavité dans le roc à environ dix mètres au-dessus du niveau de la mer. Il y a une promesse traditionnelle que ceux qui réussissent à grimper dans le lit de saint Kevin verront s'accomplir leur désir le plus cher. Un désir supplémentaire est accordé à ceux qui décident de s'asseoir dans la chaise de saint Kevin.

Ma soeur m'accompagnait à ce pèlerinage à saint Kevin et nous avons parlé à une femme de Killarney qui était en pèlerinage. Elle nous dit que, quelques années auparavant, elle en était à la phase terminale d'un cancer. Son guide l'avait aidée à atteindre le lit de saint Kevin dans le roc et elle avait prié saint Kevin. Quelques jours plus tard, elle s'était senti guérie et ses médecins, après avoir pris une biopsie et avoir fait des examens aux rayons X, constatèrent qu'elle n'avait plus de cancer. Ceci, disait-elle, était arrivé cinq ans auparavant et elle était maintenant forte, pleine de vie et intègre.

### Le puits de saint Kevin

Il y avait une foule de touristes autour d'un puits. Le guide montra l'empreinte de cinq doigts, supposément ceux de saint Kevin, encavée dans le roc. On demandait aux visiteurs de placer une main (la gauche) dans le roc, mettant les doigts exactement dans les fissures du roc et puis de la placer dans le puits adjacent et de faire une prière ou une requête spécifique. La croyance traditionnelle est que le désir sera réalisé par l'intermédiaire de saint Kevin.

Tout ce sur quoi vous centrez votre attention assez longtemps pour l'amener à s'imprimer dans votre subconscient sera démontré dans votre existence. Ceci est l'explication des soi-disant miracles qui ont lieu au rocher et au puits de saint Kevin.

La Bible dit: *Tout ce que vous demanderez dans une prière pleine de foi, vous l'obtiendrez* (Matt 21;22). *Tout est possible à celui qui croit* (Marc 9;23).

Il y a un esprit universel unique. Toute la musique déjà jouée par les grands musiciens est déposée dans l'esprit universel et peut être extraite par n'importe qui. Tous les hommes saints du monde qui triomphèrent des problèmes, des difficultés et des maladies de toutes sortes ont aussi déposé leurs expériences et leur état de conscience dans l'esprit universel. Toute la sagesse et la connaissance d'Einstein, Faraday, Edison et Marconi sont déposées dans la banque universelle de notre esprit et peuvent être retirées par quiconque s'intéresse à chercher des réponses. Tout ce qu'il suffit de faire est de s'accorder. Lorsque vous vous élevez assez haut dans la conscience, la réponse à votre prière viendra. *Et moi, élevé de terre, j'attirerai tous les hommes à moi* (Jean 12;32).

## POINTS À RETENIR

1. L'*Amour guérisseur* de Dieu peut littéralement dissoudre tout ce qui lui est dissemblable dans votre esprit et votre corps. L'amour est la solution universelle. Le don de Dieu en vous est la *Présence curative infinie,* la seule puissance curative qui existe.

2. Vous voyagez avec Dieu en affirmant que les messagers de paix, d'amour, de lumière et de beauté vous précèdent, rendant votre sentier droit, glorieux, joyeux et heureux. Sachez que l'*Amour* de Dieu vous entoure dans les cieux et sur la terre, faisant de tous les chemins une grande route sécuritaire.

3. L'apparition de la sainte Vierge au Sanctuaire de Fatima et à d'autres endroits est simplement une dramatisation du subconscient des enfants qui affirmèrent qu'ils avaient vu la Vierge vêtue d'une robe blanche dans un arbre. La Vierge en question ressemblait à l'image dans leur livre de prières ou possiblement à la statue qu'ils avaient vue dans leur église. C'est un symbole universel de l'aspect féminin de Dieu ou l'*Amour* Divin.

4. Des personnes, de par le monde, sont guéries dans divers sanctuaires, tels que les sanctuaires Shinto, de Bouddha, de Lourdes et de Fatima aussi bien qu'à plusieurs autres endroits. Ce n'est pas le sanctuaire ou les eaux ou les reliques qui accomplissent le soi-disant miracle mais la ferme conviction, la foi, la grande attente et une imagination enflammée qui, soutenues pendant une période de temps, imprègnent le subconscient, libérant la Puissance curative infinie de votre subconscient, qui est la seule puissance curative qui soit.

5. Un miracle n'est pas une violation d'une loi naturelle. Un miracle ne témoigne pas de ce qui est impossible; il témoigne de ce qui est possible. C'est la réponse de votre subconscient à votre croyance.

6. La guérison spirituelle est différente de la guérison par la foi. Par exemple, toute chose qui transforme l'esprit de la peur à la foi, telle une croyance dans les restes des saints, les reliques, les eaux miraculeuses, etc., peut amener une guérison. La guérison spirituelle est l'interaction harmonieuse de votre conscient et votre subconscient, scientifiquement dirigés. Ce n'est pas l'objet auquel on croit, tel un sanctuaire ou une relique, mais c'est la croyance elle-même qui opère positivement la guérison.

7. Les apparitions de la *Dame* ayant supposément été vues à Fatima, à Lourdes, en Irlande et à d'autres endroits, sont des expériences subjectives provoquées par l'excitation, l'attente et l'auto-suggestion qui amènent le subconscient à projeter une image en conformité avec le modèle enregistré dans le subconscient de celui qui croit.

8. L'avenir est déjà dans nos esprits et peut être vu par un clairvoyant ou un bon médium; il en va de même de la

destinée d'une nation. Mais quand l'homme apprend à prier, il peut neutraliser tout événement négatif qui puisse se trouver dans son esprit maintenant. Le futur est votre pensée présente rendue manifeste. Changez votre pensée et vous changerez votre destinée.

9. Lorsque votre vue fait défaut, demandez-vous pourquoi votre subconscient choisit votre oeil comme bouc émissaire. Qu'est-ce que vous désirez ne pas voir de votre monde? Corrigez-le tout de suite et une guérison suivra.

10. Lorsque vous priez pour la *Direction* et l'*Action juste,* que vous sentez et savez que l'*Amour* de Dieu vous entoure en tout temps et que Dieu marche et parle en vous, souvent un avertissement peut vous venir dans un rêve; il est sage d'obéir à la vision intérieure. Vous voyez l'événement avant qu'il n'arrive et vous pouvez l'éviter.

11. Une façon d'imprégner votre subconscient pour assurer la richesse est de vous bercer pour vous endormir chaque soir avec les mots: *la richesse est mienne maintenant.* Des merveilles se produiront dans votre vie et vous découvrirez que votre foi à votre subconscient est votre fortune.

12. Le subconscient connaît seulement la réponse. Si vous n'avez pas un sou en poche et que vous voulez faire un voyage, remettez votre requête à votre subconscient de cette façon: «Je fais un voyage à_____dans l'Ordre divin et tout ce dont j'ai besoin m'est fourni maintenant.» Croyez et acceptez que ce que vous dites est vrai et ça se réalisera.

13. Un homme à Londres gagna de l'argent dans un derby anglais pendant trois années consécutives en

s'endormant chaque soir, pendant trois mois avant la course, en se concentrant sur ces mots: *Le gagnant.* Son subconscient est toute sagesse et il répond à sa croyance selon ses puissances.

14. Un bras ulcéré ne guérit pas jusqu'à ce que la victime décida de se pardonner elle-même et de se libérer. Au moment où il cessa toute auto-condamnation, une guérison suivit.

Norman Vincent Peale
Smiley Blanton

# L'ART D'ÊTRE VRAIMENT HEUREUX

Les Éditions
Un monde différent ltée

# L'art d'être vraiment heureux

La foi chrétienne et la perspective psychologique sont superbement élaborées dans ce livre puissant et inspiré, écrit par l'un des ministres les mieux connus aux États-Unis en collaboration avec un psychiatre de renom.

Dans l'art d'être vraiment heureux, Norman Vincent Peale et Smiley Blanton conjuguent leurs talents pour créer une nouvelle méthode pratique qui allie les anciennes vérités de la Bible à la psychologie moderne. Cette œuvre extraordinaire vous enseigne comment: acquérir la paix de l'esprit - faire la part entre l'amour et la haine - alléger la dépression et l'anxiété - demeurer en santé malgré la pression - apprendre à se détendre - vaincre l'alcoolisme - trouver le réconfort après un deuil - vieillir sereinement.

Voilà un livre qui peut changer votre vie pour le mieux une fois pour toutes.

**10,95$**

**En vente chez votre libraire**

Les Éditions «Un Monde Différent» Ltée
1875 Panama, Local B
Brossard, Québec, Canada.
J4W 2S8

# Votre force intérieure = T.N.T.

Le message de ce livre s'adresse aux âmes de bonne volonté. Les auteurs le passent tout simplement avec la certitude qu'il changera probablement votre conception actuelle de la vie, contribuera à améliorer votre santé physique, engendrera succès, bonheur et joie de vivre.

Vous savez que le trinitrotoluène, au sens propre du mot, est un explosif d'une puissance peu commune. Le T.N.T. qui nous est proposé est tout aussi puissant et dynamique. Quelques-uns interpréteront ce livre du point de vue spirituel, d'autres y découvriront des vérités épaulées par la science, d'autres encore n'y verront qu'un moyen pratique de réussir dans leurs entreprises.

**10,95$**

**En vente chez votre libraire**

Les Éditions «Un Monde Différent» Ltée
1875 Panama, Local B
Brossard, Québec, Canada.
J4W 2S8

# Les trois clés du succès

Quiconque connaît le caractère et la vie de Lord Beaverbrook, cependant, mesurera difficilement la grandeur de cet homme en termes de biens matériels et d'accomplissements mondains. Son remarquable record de succès en tant que chef du ministère de l'Aviation, durant l'heure la plus sombre de l'Histoire de l'Angleterre, aurait suffit à lui mériter l'honneur et la gloire en permanence. Celui-ci est un livre de conseils directs et pratiques qui devrait fournir la plus grande aide et la plus grande inspiration possible aux jeunes gens qui se préparent à façonner leurs carrières; à ceux qui ont déjà fait leurs débuts, il offre aussi des directives des plus utiles et des plus bénéfiques pour les aider à avancer vers le succès.

$7,50

**En vente chez votre libraire**

Les Éditions «Un Monde Différent» Ltée
1875 Panama, Local B
Brossard, Québec, Canada.
J4W 2S8

## Une puissance miraculeuse attire des richesses infinies

Ce livre révèle pour la première fois l'étonnante Puissance miraculeuse qui peut libérer l'influx d'abondance dans votre vie. Étape par étape, dans un langage clair et concis, le docteur Murphy nous explique quoi et comment faire pour dévoiler ce qu'il appelle le coffre aux trésors de l'Infini.

Faits saillants du contenu de ce livre: - Le secret de la puissance miraculeuse pour des richesses intarissables - Comment extraire de la puissance miraculeuse ce qui vous enrichit - Comment récolter automatiquement une abondante moisson de bénédictions - Comment faire appel à la présence curative pour obtenir des richesses.

**$10,95**

**En vente chez votre libraire**

Les Éditions «Un Monde Différent» Ltée
1875 Panama, Local B
Brossard, Québec, Canada.
J4W 2S8

Claude M. Bristol

LA MAGIE DE CROIRE

# La magie de croire

Dans ce livre vous découvrirez une description complète de toutes les étapes menant à n'importe quel but. Vous verrez comment puiser dans un vaste réservoir de pouvoir mental qui vous propulsera vers vos objectifs.

Écrit par un homme d'affaires qui a constaté l'efficacité de telles méthodes et pour des centaines de professionnels du monde des affaires, ce livre vous enseignera qu'il vous est possible d'être plus compétent, d'avoir plus d'influence dans vos rapports avec les autres en faisant passer votre subconscient à l'action pratique par le procédé de la vision mentale.

$7,95

**En vente chez votre libraire**

Les Éditions «Un Monde Différent» Ltée
1875 Panama, Local B
Brossard, Québec, Canada.
J4W 2S8

Achevé d'imprimer
en mai mil neuf cent quatre-vingt-trois
sur les presses de l'Imprimerie Gagné Ltée
Louiseville - Montréal.
Imprimé au Canada